Esperanza
para el tiempo del fin

Un viaje a la eternidad

Mark A. Finley

Pacific Press® Publishing Association
Nampa, Idaho
Oshawa, Ontario, Canadá
www.pacificpress.com

Título de este libro en inglés: *End-Time Hope*
Dirección editorial: Miguel Valdivia
Traducción: Alfredo Campechano
Diseño de la portada: Steve Lanto
Diseño del interior: Kristin Hansen-Mellish

El autor asume la responsabilidad por la exactitud de los datos y referencias citados en este libro.

A no ser que se indique de otra manera, todas las citas de las Sagradas Escrituras están tomadas de la versión *Reina-Valera*, revisión de 1960.

Derechos reservados © 2012 por
Pacific Press® Publishing Association.
P. O. Box 5353, Nampa, Idaho 83653,
EE. UU. de N. A.

Primera edición: 2012

ISBN 13: 978-0-8163-9248-3
ISBN 10: 0-8163-9248-X

Printed in the United States of America

13 14 15 • 03 02 01

Índice

Con especial gratitud

Usualmente los libros no son el producto de las ideas de una sola persona. Tampoco responden únicamente a largas horas de investigación. Hay mucho más. Son el resultado de años de experiencia. Durante 45 años he tenido el privilegio de predicar de la esperanza del segundo advenimiento de Cristo ante grandes audiencias en más de ochenta países en los cinco continentes. No me canso de ver el brillo en los ojos de las personas, y el gozo reflejado en sus rostros cuando aceptan las asombrosas buenas nuevas de que Jesús viene otra vez. Todos los días recuerdo el gran privilegio que durante décadas he tenido de compartir esta esperanza con cientos de miles de seres humanos, tanto en forma personal como a través de los medios de comunicación. Agradezco a Dios por este incomparable privilegio.

También quisiera agradecer de manera especial a Steve Mosley, nuestro guionista del programa de televisión *It Is Written* [*Está escrito*]. Durante los pasados doce años, Steve y yo hemos trabajado en muchos proyectos, y muchas de las ideas expuestas en este libro aparecieron primeramente en los guiones de *It Is Written*. Estoy en deuda con la hábil pluma y la claridad literaria de Steve. Su contribución ha enriquecido en gran medida esta obra.

También quisiera expresar mi profundo aprecio a mi esposa Ernestine. Ella no solo me animó a escribir un libro sobre la esperanza del segundo advenimiento, sino que también ha jugado un papel significativo en la producción de este libro. Los capítulos segundo y tercero son ampliaciones actualizadas de mis sermones de evangelización pública. Ella escuchó atentamente las presentaciones orales de estos mensajes y las transcribió a fin de que yo pudiera editar el material y prepararlo para el manuscrito.

Alabo a Dios por darme el privilegio de compartir las verdades eternas de las Escrituras, y espero que usted sea bendecido cuando lea *Esperanza para el tiempo del fin*, como yo lo fui al escribirlo.

Antes de dar vuelta la página...

Los Estados Unidos tienen una deuda superior a 16 trillones de dólares, el índice de desempleo ha superado el ocho por ciento durante casi cuatro años, y muchas familias siguen perdiendo sus casas a un ritmo sin precedente.

Los graduados de las universidades se preguntan si lograrán conseguir un empleo, los jubilados están preocupados por sus fondos de jubilación. El escenario internacional está en suspenso: ¿Se producirá en breve otro ataque terrorista?

¿Y qué hay detrás de los desastres naturales que parecieran desgajar pueblo tras pueblo? Muchas personas están confundidas por los tiempos en que vivimos. Pareciera que la sociedad del siglo XXI ha perdido su brújula moral. Las normas morales que durante mucho tiempo fueron inmutables son arrojadas al viento, y andamos a tientas en la oscuridad, buscando la luz al final del túnel.

Pero aún hay esperanza. De eso se trata este libro. En cada capítulo pulsa la esperanza. Poco antes de que Jesús ascendiera al cielo, pronunció unas palabras que infundieron ánimo a sus discípulos. Él dijo: "No se turbe vuestro corazón; creéis en Dios, creed también en mí. En la casa de mi Padre muchas moradas hay; si así no fuera, yo os lo hubiera dicho; voy, pues, a preparar lugar para vosotros. Y si me fuere y os preparare lugar, vendré otra vez, y os tomaré a mí mismo, para que donde yo estoy, vosotros también estéis" (S. Juan 14:1-3).

La promesa del retorno de Jesús no era un cuento de hadas sin sustancia alguna. No fue un paño tibio para hacernos sentir bien. Su Palabra es segura, un fundamento sólido para la esperanza de un mundo profundamente angustiado.

¡Jesús vendrá otra vez! ¡De veras! Pero esta vez no vendrá como un bebé nacido en el pesebre de Belén, sino como Rey de reyes y Señor de señores.

Un día la enfermedad y la pena serán perpetuamente desterradas.

Un día el miedo y el hambre se desvanecerán para siempre.

Un día la enfermedad, el desastre y la muerte se irán definitivamente.

Un día el temor, la necesidad y la guerra formarán parte de un pasado remoto.

Un día cada lágrima será enjugada y cada tragedia se tornará en triunfo.

Un día Jesús volverá.

Aspire una fresca bocanada de esperanza mientras se embarca en un grandioso viaje de descubrimiento a través de los acontecimientos finales hacia la eternidad.

Capítulo 1

El último viaje espacial

El 17 de abril de 2012, el transbordador espacial *Discovery,* transportado por un avión 747 de la NASA, pasó sobre la capital de la nación a manera de saludo, antes de aterrizar en el Aeropuerto Internacional Dulles, en Washington, D.C. Millares de personas hicieron fila en el Paseo Nacional para captar una vislumbre del famoso transbordador. Aplaudieron estruendosamente según el *Discovery* circundó el Capitolio de los Estados Unidos y el Monumento a Washington, y enfiló hacia el aeropuerto, al lugar de su descanso definitivo, el Instituto Smithsoniano.

Los escritores especializados en aeronáutica espacial describieron la espectacular escena en estas palabras:

"La nave espacial con mayor cantidad de viajes en la historia despegó en horas del amanecer desde Cabo Cañaveral, Florida, acoplada a un avión *jumbo*.

Tres horas después ambas dieron varias vueltas alrededor de Washington a una altitud de 500 metros —fácil de divisar— antes de aterrizar.

"La lista de logros del *Discovery* incluye lo siguiente: la puesta en órbita del telescopio espacial *Hubble*, el transporte del primer cosmonauta ruso que tripulara una nave estadounidense, el primer acoplamiento con la estación espacial rusa *Mir* —cuando por primera vez una mujer ocupó un asiento en la cabina—, el regreso al espacio del astronauta

John Glenn, y fue la primera nave en reanudar los viajes de los transbordadores después de los accidentes del *Challenger* y el *Columbia*".[1]

Es difícil imaginar que el *Discovery* haya recorrido 238.538.577 kilómetros (148.221.675 millas) en 39 misiones espaciales, el equivalente de 310 viajes de ida y vuelta a la Luna. ¡Qué logro asombroso! No es de maravillarse que tanta gente haya deseado dar un último vistazo al transbordador espacial más famoso de los Estados Unidos.

Hay algo en los viajes espaciales que nos fascina. Capturan nuestra imaginación. Estimulan el pensamiento. Alimentan nuestros sueños de un mañana mejor. Tal vez, quién sabe, haya respuestas a nuestros más profundos interrogantes respecto a lo que hay más allá de las estrellas.

Definitivamente, el universo nos atrae. Películas fenomenales como la serie de la "Guerra de las Galaxias" nos proporcionan un ejemplo de nuestra fascinación por el espacio. Queremos ver lo que hay allá afuera. Queremos emprender el máximo viaje. Algunas compañías ya anuncian viajes al espacio, y ofrecen reservaciones de asientos en cohetes.

Potencialmente, las personas podrían tomarse vacaciones espaciales, transportadas por un transbordador similar al *Discovery*. El 24 de marzo de 2006, un artículo de *Associated Press* sobre viajes espaciales, hizo esta intrigante observación:

> "Si flotar en la ingravidez y mirar desde el espacio el azul brillante de la Tierra le resulta atractivo, quizá debiera considerar la idea de llegar a ser un turista al espacio. Lo único que necesita es una cartera voluminosa. Dos años después de que el primer vuelo espacial financiado por una industria privada dio nuevas fuerzas a una idea incipiente, más de una docena de compañías están desarrollando proyectos espaciales para transportar personas comunes pero ricas más allá de la atmósfera".[2]

El viaje espacial máximo

En este capítulo le contaré de un viaje espacial que responderá sus preguntas de una vez y para siempre. Se trata del viaje máximo al espacio, y está disponible no solo para unos pocos astronautas o para un grupo selecto. Es un viaje que cada uno de nosotros puede realizar, y que nos pondrá cara a cara con el destino.

Además, no tenemos que fabricar una nave espacial para realizar este viaje. Viajaremos por el espacio. Iremos más allá de las estrellas, a través de la apertura en la constelación de Orión, hasta el corazón del universo.

El apóstol Pablo fue uno de los muchos escritores bíblicos que, bajo la inspiración del Espíritu Santo, describió este viaje extraordinario. Transmitió estas buenas noticias a sus compañeros en la fe que adoraban en la iglesia de Tesalónica:

"Si creemos que Jesús murió y resucitó, así también traerá Dios con Jesús a los que durmieron en él... el Señor mismo, con voz de mando, con voz de arcángel, y con trompeta de Dios, descenderá del cielo; y los muertos en Cristo resucitarán primero. Luego nosotros, los que vivimos, los que hayamos quedado, seremos arrebatados juntamente con ellos en las nubes para recibir al Señor en el aire, y así estaremos siempre con el Señor" (1 Tesalonicenses 4:14, 16, 17).

Jesucristo, el Mesías, el Único que realizó tan extraordinaria visita a este planeta hace dos mil años, nos visitará nuevamente. Y esta vez su visita va a ser despampanante. No va a venir como un bebé en un pesebre, como en Belén, sino como "REY DE REYES Y SEÑOR DE SEÑORES" (Apocalipsis 19:16). Y los cielos repercutirán con un gran clamor de trompetas y el canto de los ángeles.

Más de 1.500 veces la Biblia alude a este excepcional viaje espacial que trae a nuestro Señor de nuevo a la tierra. Enoc, el séptimo desde Adán, profetizó que nuestro Dios regresaría (ver Judas 14). David declaró gozoso: "Vendrá nuestro Dios, y no callará; fuego consumirá delante de él, y tempestad poderosa le rodeará" (Salmo 50:3). Los ángeles que estaban allí cuando Jesús ascendió al cielo animaron a los discípulos con estas palabras: "Este mismo Jesús, que ha sido tomado de vosotros al cielo, así vendrá como le habéis visto ir al cielo" (Hechos 1:11).

Otros textos rebosan en detalles. Cada persona verá el espectáculo de un ejército de seres angelicales que descienden del cielo (Apocalipsis 1:7). El rostro de Cristo brillará como el sol del mediodía, y sus vestiduras serán de un blanco resplandeciente (Apocalipsis 1:12–16).

Jesús y la hueste celestial descenderán en una nube de gloria y circundarán la tierra más rápidamente que cualquier nave espacial. La tierra temblará. Las montañas caerán en el mar. Los sepulcros se abrirán, y los que murieron en Jesús se levantarán de sus tumbas frías, vivos y transformados, poseyendo cuerpos gloriosos e inmortales. Los creyentes en Cristo que estén vivos ascenderán con ellos en el aire, atraídos por la gloriosa presencia de Jesús.

¿Y qué sucede después? Recordemos cómo lo describe 1 Tesalonicenses 4:14: "Traerá Dios con Jesús...". Él traerá a los creyentes consigo.

¿De dónde los traerá?

¡Los traerá de la tierra al cielo! Los levantará de sus tumbas para que nunca vuelvan a morir, para realizar un viaje a la eternidad.

Por medio de San Juan, Jesús nos prometió: "Si me fuere y os preparare lugar, vendré otra vez, y os tomaré a mí mismo, para que donde yo estoy, vosotros también estéis" (S. Juan 14:3). Esto es lo que va a ocurrir con todos los que hemos depositado nuestra fe en Jesús. Vamos a ser arrebatados hacia el cielo en esa nube interestelar. Vamos a viajar al cielo para estar siempre con el Señor. Vamos a viajar al lugar donde Jesús ha estado preparando muchas mansiones. Vamos a viajar a la casa de nuestro Padre.

Amigo, este es el viaje máximo. Es el viaje al centro del universo, al hogar de Dios. Nos preguntamos de dónde venimos. Hablamos de nuestros orígenes. Pero esta hueste de ángeles nos va a llevar ante nuestro Creador. Nos conducirá al lugar donde todas nuestras preguntas serán respondidas, donde nuestros más profundos anhelos serán saciados.

Vida más allá de las estrellas

El telescopio espacial *Kepler* está muy ocupado en la búsqueda de planetas de otros sistemas solares. Se creía que el 2012 podría traernos algo incluso más emocionante: la primera y auténtica "Tierra extraña".

"En 2011, los científicos del *Kepler* anunciaron dos hallazgos notables: los primeros dos planetas del tamaño de la Tierra, así como un mundo más grande en la zona habitable de su estrella, a la distancia precisa donde podría haber agua líquida, y posiblemente las condiciones de vida como las que hoy conocemos".[3]

De hecho, una nueva ciencia ha florecido alrededor de esta búsqueda: la astrobiología. Esta ciencia se vale de muchas y distintas disciplinas para encontrar vida en el universo. Algunos científicos creen que pronto tendremos la tecnología adecuada para buscar muestras de vida en Marte, y traer esas muestras a la Tierra.

La mayoría de los científicos no espera encontrar en algún momento cercano una criatura encantadora como *E.T.* Ellos buscan organismos unicelulares que puedan sobrevivir en ambientes hostiles. La vida es más resistente de lo que solíamos suponer. Hemos descubierto ahora ciertas bacterias que pueden sobrevivir y prosperar en el hielo glaciar, y a un calor de 120° C (250° F) bajo el mar.

Los seres humanos tenemos curiosidad de saber si hay vida más allá de las estrellas. No podemos menos que desear entrar en contacto con tal vida. ¿Quién sabe qué podríamos encontrar? ¿Quién sabe qué seres inteligentes podrían respondernos?

Pues bien, tengo buenas noticias acerca de la vida más allá de las estrellas: vamos a encontrarla. Tengo buenas noticias respecto a signos de inteligencia en el universo: seres inteligentes van a respondernos pronto, ¡y de qué manera! Escucharemos la voz de nuestro Creador que resonará alrededor de nuestro planeta. Escucharemos las voces de seres angelicales que retumbarán como truenos a través del cielo. Vamos a tener un encuentro cósmico.

Los discípulos de Jesús nos dicen que se avecina este gran acontecimiento. Es más alucinante que el descubrimiento de una galaxia por el telescopio *Hubble,* o que el descubrimiento de organismos unicelulares en un planeta distante. Nos vamos a ver cara a cara con la más grandiosa Inteligencia del universo. Su semblante va a refulgir sobre este mundo como el sol del mediodía.

Sí, la segunda venida de Jesús será grandiosa. Pongamos atención a esta descripción:

> "Como el relámpago que sale del oriente y se muestra hasta el occidente, así será también la venida del Hijo del Hombre... Las estrellas caerán del cielo, y las potencias de los cielos serán conmovidas... Entonces... todas las tribus de la tierra... verán al Hijo del Hombre viniendo sobre las nubes del cielo, con poder y gran gloria. Y enviará sus ángeles con gran voz de trompeta, y juntarán a sus escogidos, de los cuatro vientos, desde un extremo del cielo hasta el otro" (S. Mateo 24:27, 29-31).

El Salvador añadió esta verdad que nos induce a reflexionar: "El Hijo del Hombre vendrá en la gloria de su Padre con sus ángeles, y entonces pagará a cada uno conforme a sus obras" (Mateo 16:27).

Cristo va a aparecer sobre nosotros, refulgiendo de horizonte a horizonte. Su gran nave espacial angelical de luz hará temblar el cielo y la tierra. Y él juntará a los creyentes, vivos y muertos, de cada rincón del planeta. Y los invitará a subir a su presencia. Los invitará a emprender un viaje.

Oh, sí, están por aparecer evidencias de la existencia de vida inteligente en el universo. Pronto veremos la señal del Hijo de Dios. Su gloria llenará el cielo.

Y todos los que han entregado su vida a Cristo viajarán con él más allá de las estrellas, entre las galaxias, hasta el cielo. Viajaremos con el Hijo de Dios, con Jesús, en quien están escondidos todos los tesoros de la sabiduría y el conocimiento.

Los seres humanos nos sentimos apabullados de solo pensar en las distancias intergalácticas de un *auténtico* viaje espacial. ¿Cómo alcanzar una estrella a miles de años luz de distancia? Hoy, los científicos no pueden concebir un viaje a mayor velocidad que la de la luz. Así que los verdaderos viajes espaciales enfrentan enormes obstáculos. Pero el segundo advenimiento de Cristo superará todos esos obstáculos. El que creó todas esas estrellas y las llama por su nombre, y las conduce, ese mismo Dios puede transportarnos a través del universo tan rápido como quiera.

Volaremos con Jesús en una formación angelical. Las distancias ya no importarán. Los agujeros negros ya no nos preocuparán. Y la velocidad de la luz no será una barrera. Es Dios quien nos conduce a casa, y eso es lo que importa. Llegaremos sin peligro a nuestro destino, y todos juntos. Estaremos de pie todos juntos sobre un mar como de cristal alrededor del trono de Dios ¡y nuestros corazones cantarán en gloriosa exultación!

Ese es el viaje espacial máximo. Y cada día somos más conscientes de que necesitamos realizar algún tipo de viaje. Necesitamos encontrar "algo" más allá de este mundo.

¿Por qué? Porque estamos usando excesivamente muchos recursos naturales de este planeta. Los expertos han comenzado a buscar nuevos recursos en el espacio exterior. Algunos hablan de minería en los asteroides, a causa de sus valiosos minerales. En efecto, algunas compañías ya comenzaron a desarrollar planes para explotar la minería en la Luna. El suelo de la Luna contiene concentraciones muy elevadas de silicón y también mucho hierro.

Este planeta se desgasta. Está sobrecargado con muchos problemas. La gente busca soluciones en el espacio exterior. Piensa y espera que, tal vez, de alguna manera, en algún sitio del vasto universo, haya una solución para la guerra, el hambre y la avaricia. Tal vez podamos encontrar ese lugar.

Nuestro regreso definitivo

La Biblia tiene más noticias buenas. Nuestro viaje a la eternidad no será de una sola vía. Esto le puede impactar, pero la Biblia dice que regresaremos a la Tierra. Es un acontecimiento del que tal vez usted no había oído antes. Por supuesto, regresaremos después de haber ido con Jesús al cielo. Ese será el último segmento de nuestro vuelo.

¿Recuerda usted la declaración de Jesús en el Sermón del Monte respecto al destino final de los hijos de Dios? Dice así: "Bienaventurados los mansos, porque ellos *recibirán la tierra por heredad*" (S. Mateo 5:5; la cursiva es nuestra). David estableció esta eterna verdad en uno de los salmos: "Los mansos heredarán la tierra, y se recrearán con abundancia de paz" (Salmo 37:11).

Pero la tierra a la que regresaremos no será como la que hoy habitamos. La Biblia dice: "Nosotros esperamos, según sus promesas, cielos nuevos y tierra nueva, en los cuales mora la justicia" (2 Pedro 3:13).

La tierra será un lugar mejor. La enfermedad y el sufrimiento, el dolor, la angustia y la muerte desaparecerán para siempre. No habrá más enfermedad ni desastres. El caos y la calamidad se acabarán. Pensemos en lo que será descender del cielo con Jesús, sus ángeles y todo el resto de los anfitriones divinos a una tierra magnífica, renovada en la gloria del Edén.

Así que vamos a realizar un segundo y asombroso viaje espacial. Y esta vez nuestra nave espacial será una ciudad completa, una ciudad que refulge con calles doradas y puertas de perla. Así la vio el apóstol Juan en visión:

> "Vi un cielo nuevo y una tierra nueva; porque el primer cielo y la primera tierra pasaron, y el mar ya no existía más. Y yo Juan vi la santa ciudad, la nueva Jerusalén, descender del cielo, de Dios, dispuesta como una esposa ataviada para su marido. Y oí una gran voz del cielo que decía: He aquí el tabernáculo de Dios con los hombres, y él morará con ellos; y ellos serán su pueblo, y Dios mismo estará con ellos como su Dios" (Apocalipsis 21:1-3).

¡Una ciudad completa va a aparecer en el cielo! Apocalipsis 20:9 nos dice que los santos (los creyentes) están en el interior de esa "ciudad amada", la Nueva Jerusalén. Han viajado asombrosamente a través del espacio. Han vuelto a la tierra. Ha llegado la hora de "un cielo nuevo y una tierra nueva".

Dios incinerará este mundo de pecado y sufrimiento. Entonces sanará las heridas. Reemplazará la fealdad. Recreará la tierra.

Y entonces esta Nueva Jerusalén se asentará en este planeta. Será nuestro hogar terrenal. Y Dios vivirá con nosotros. Y desde esta eterna ciudad colonizaremos el planeta renovado.

Y más aún, el oro resplandeciente de las calles de la Nueva Jerusalén no se va a desgastar. Sus puertas, hechas con enormes perlas, no se saldrán de sus goznes. Los zafiros y las esmeraldas de los cimientos de la ciudad no se derrumbarán.

Los ciudadanos de la Nueva Jerusalén serán refrescados para siempre por el río de la vida que fluirá a través de la ciudad. Serán renovados para siempre por el árbol de la vida de la ciudad, que produce doce clases diferentes de frutos.

Este es el cuadro descrito en el Apocalipsis. Y este cuadro nos asegura que vamos a encontrar para siempre un hogar de paz y bendición. La vida de Dios fluirá desde su trono a su pueblo. Él mismo será nuestro Dios. Iluminará la ciudad con su eterna gloria. Viviremos en la calidez de su amor y el gozo de su presencia a lo largo de las infinitas edades de la eternidad.

Yo quiero hacer ese viaje extraordinario con Dios. Quiero estar en esa gran odisea espacial. Podemos aspirar a algo más que la búsqueda de minerales en la Luna o a hurgar en los asteroides. Anhelamos más que encontrar recursos para obtener energía renovable. Necesitamos una respuesta más amplia para las ansias de nuestro corazón. Necesitamos la gloria del Hijo de Dios.

Sí, la Biblia nos dice que todo esto se aproxima. Que él viene. En su segunda venida, la manifestación de Jesús será espectacular.

Usted querrá estar listo para ese acontecimiento. Deseará conocer a ese Personaje cuyo resplandor refulgirá de horizonte a horizonte. Anhelará colocar su fe en aquel cuya voz resonará a través del cielo.

Querrá estar listo para el viaje espacial por excelencia.

Viene. Un día usted será arrebatado en el aire hacia los brazos de Jesús.

Un día viajará al cielo en esa angélica nave de luz.

Un día regresará del espacio en una ciudad dorada.

Un día vivirá con Dios en una ciudad renovada.

Prepárese.

Eleve su vista.

Y ahora extienda sus manos hacia quien le está preparando un lugar en la casa de su Padre. Usted puede decidir entregar ahora mismo su vida al Cristo vivo. Por qué no extender sus manos hacia él ahora mismo mientras pronuncia esta oración de dedicación: "Querido Señor, en lo más profundo de mi corazón, siento que tienes proyectos para mí más allá de mis sueños más increíbles. Algo dentro de mí me dice que este mundo no es todo lo que existe. Quiero hacer ese viaje espacial a mi hogar eterno. Quiero verte cara a cara. Te entrego mi vida ahora y para siempre. En el nombre de Jesús. Amén".

[1.] Roz Plater, Brianne Carter, y Jay Korff, "Space shuttle Discovery flies over D.C. landmarks," ABC 7/News Channel 8, 17 de abril, 2012, http://www.wjla.com/articles/2012/04/space-shuttle-discovery-to-fly-over-d-c-landmarks-74857.html.

[2.] Associated Press, "Space Travel Price No Longer Out of This World," *Los Angeles Times,* 24 de marzo, 2006, http://articles.latimes.com/2006/mar/24/business/fi-spacetour24.

[3.] "Why 2012 Could Be the Year We Find a Habitable Planet," *Christian Science Monitor,* http://www.csmonitor.com/Science/2011/1221/Why-2012-could-be-the-year-we-find-a-habitable-planet.

Capítulo 2

Señales del tiempo del fin

En todo el mundo las personas están perplejas. Están asombradas por lo que está por pasar, por lo que se vislumbra en el horizonte. Todos están preocupados acerca de su futuro y acerca del futuro de este mundo. La vacilante economía internacional, el incremento de los desastres naturales, y el aumento del crimen y la violencia los tienen atemorizados. El desempleo, la hambruna mundial, el terrorismo y las vidas que parecieran carecer de significado complican los interrogantes acerca de la vida. Esta preocupación es global, afecta a personas de diversos trasfondos y culturas.

Pero la Biblia revela con claridad el plan de Dios para el futuro, ¡y ese plan brilla con las promesas de Dios! Del Génesis al Apocalipsis la Biblia habla de esperanza para cada generación. Revela a Jesús, quien una vez vino a redimirnos de la penalidad y el poder del pecado, y viene otra vez para liberarnos de la presencia del pecado. El último libro de la Biblia, el Apocalipsis, aborda esta esperanza con particular claridad y franqueza. Su tema central es el retorno de Jesús. En el primer capítulo, el autor, el apóstol Juan, introduce el retorno de nuestro Señor con estas palabras: "He aquí que viene con las nubes, y todo ojo le verá, y los que le traspasaron; y todos los linajes de la tierra harán lamentación por él. Sí, amén" (Apocalipsis 1:7).

El libro de Apocalipsis nos habla con vibrante urgencia acerca del retorno de Jesús. Dirige nuestra vista de la tierra aquí abajo, a lo alto, al cielo. Nos eleva sobre los problemas, los traumas, y los chascos de la vida a la solución definitiva de los problemas terrenales, de nuestros problemas. Por su parte, el último capítulo del libro de Apocalipsis refulge con la esperanza del segundo advenimiento de Cristo. Jesús anima a sus lectores al repetir tres veces la promesa: "¡He aquí, vengo pronto! —les dice—. Bienaventurado el que guarda las palabras de la profecía de este libro" (22:7). "He aquí yo vengo pronto, y mi galardón conmigo, para recompensar a cada uno según sea su obra" (vers. 12). Y, "el que da testimonio de estas cosas dice: Ciertamente vengo en breve. Amén; sí, ven, Señor Jesús" (vers. 20).

Los últimos dos versículos del último capítulo de la Biblia concluyen con la vibrante oración de Juan: "El que da testimonio de estas cosas dice: Ciertamente vengo en breve. Amén; sí, ven, Señor Jesús. La gracia de nuestro Señor Jesucristo sea con todos vosotros. Amén" (vers. 20, 21).

¿Cuán pronto es pronto?

El libro de Apocalipsis palpita con la expectación de que Jesús viene pronto.

Pero espere un momento. ¿Cuán pronto es pronto? ¿Cuán cerca es cerca? ¿Y cuán rápido es rápido? No han creído los cristianos a lo largo de los siglos y milenios, que Jesús volvía pronto?

Una tarde, el famoso evangelista radiofónico Harold M. S. Richard, director de *Voice of Propecy* [La Voz de la Profecía], estaba predicando ante un gran auditorio sobre la pronta venida de Jesús. Un hombre de entre el público, entrado en su séptima década de vida, se levantó y desafió la afirmación del pastor Richards de que Jesús viene pronto. Él dijo: "Jesús no vendrá ni en cien años. Nadie puede tener una idea de cuándo volverá".

El pastor Richards replicó: "Caballero, a juzgar por su edad, para usted no serán cien años".

Eso es verdad también para nosotros. El advenimiento de Cristo se encuentra a solo un latido de corazón de cualquiera de nosotros, porque cuando nuestros corazones cesen de latir, lo siguiente que veremos será el retorno de nuestro Señor.

Pero la pregunta aún persiste: ¿Hay evidencia bíblica de que Jesús vuelve pronto? ¿Ha dejado él algunas señales que indican cuán cerca estamos del fin del mundo? ¿Habló él de algunos eventos o condiciones del mundo que nos advertirían de que nos aproximamos a su segundo advenimiento?

En una magistral presentación a sus discípulos registrada en Mateo 24, Jesús elaboró una lista de señales que marcarían el fin del tiempo de este mundo. No dio una fecha exacta de su retorno, pero habló de cosas que estarían presentes, en creciente frecuencia y a escala internacional, antes de su regreso. Nunca mencionó la fecha de su retorno, pero sí podemos decir cuándo estaremos muy cerca de éste. Al hablar de estas señales, Jesús dijo a sus discípulos: "Cuando veáis todas estas cosas, conoced que está cerca, a las puertas" (S. Mateo 24:33). Examinemos la lista elaborada por Jesús de las señales de los últimos días, para que así nosotros también podamos ser henchidos con la esperanza de que su segundo advenimiento está cerca.

En una ocasión, Jesús estaba sentado en el Monte de los Olivos con sus discípulos. Desde allí podían ver la ciudad de Jerusalén ante ellos. Jesús señaló al magnífico templo judío y dijo: "No quedará aquí piedra sobre piedra, que no sea derribada" (vers. 2).[1]

Los discípulos pensaron que un acontecimiento tan catastrófico como la destrucción del templo debe ocurrir al fin del mundo; entonces, poniendo juntos los dos acontecimientos, preguntaron a Jesús: "¿Cuándo serán estas cosas, y qué señal habrá de tu venida, y del fin del siglo?" (vers. 3).

Jesús contestó las dos preguntas. Les habló de las señales que precederían a la destrucción de Jerusalén y de las señales que precederían a su retorno al fin del mundo. Algunas de las señales de la destrucción de Jerusalén debían repetirse antes de su segundo advenimiento, aunque en una magnitud más grande y a escala mundial. Podríamos decir que las señales que precedieron a la destrucción de Jerusalén eran señales locales que se repetirán, pero en mayor escala, en escala cósmica, justo antes de su retorno. En esta imperiosa presentación, Jesús resume las señales del tiempo del fin que deben aparecer en las áreas de la religión, la política, la naturaleza y la sociedad. Cuando vemos estas señales en el mundo que nos rodea, sabemos que la llegada de Jesús está cerca.

Falsos maestros religiosos

Primero veremos las señales en el terreno de la religión. Jesús dijo que antes de su retorno, los falsos movimientos religiosos prosperarían. Él advirtió: "Vendrán muchos en mi nombre, diciendo: Yo soy el Cristo; y a muchos engañarán" (S. Mateo 24:5). "Muchos falsos profetas se levantarán, y engañarán a muchos" (vers. 11). "Se levantarán falsos cristos, y falsos profetas, y harán grandes señales y prodigios, de tal manera que engañarán, si fuere posible, aun a los escogidos" (vers. 24). Nótese que el Señor usó la palabra *muchos*. Habrá *muchos* falsos maestros y movimientos religiosos, y ellos engañarán a muchos. Antes del advenimiento de Cristo, debemos esperar una explosión del interés en las religiones falsas, el ocultismo y los fenómenos psíquicos.

Durante la década pasada, la cantidad de personas en los Estados Unidos que se identificó con el movimiento de la Nueva Era incrementó en un 247 por ciento.

Conforme al Estudio sobre Identificación Religiosa (*American Religious Identification Survey* [ARIS]), la cantidad de adultos que se identifican como adherentes de *Wicca* (brujería moderna), el paganismo y las religiones espiritistas, aumentó más de 400 por ciento en las dos décadas pasadas. Especialmente los adolescentes son atraídos por estos movimientos ocultistas. Superan en número a los conversos adultos en una proporción de tres a uno.

Jesús indicó que también veríamos numerosos maestros carismáticos de la religión que hacen postulaciones sobrenaturales y así apartan a las personas de la Palabra de Dios. Dijo que muchos de estos movimientos falsos serían acompañados por señales y milagros, que aparentemente realizarían algunos de estos falsos maestros que contradicen la Biblia.

Estos tiempos requieren un discernimiento cuidadoso, porque las falsificaciones no siempre son fáciles de descubrir. Debemos recordar que el hecho de que algo parezca un milagro no significa que el hacedor del milagro sea un siervo de Dios. La Biblia enseña que los espíritus malignos también pueden realizar milagros. De hecho, el Apocalipsis advierte contra los "espíritus de demonios, que hacen señales [milagros]" (Apocalipsis 16:14).

En síntesis, una de las cosas que debemos anticipar antes del advenimiento de Jesús es un incremento en el interés por los falsos maestros, una explosión en el número y la popularidad de los falsos dirigentes religiosos que apartan a las personas de las claras enseñanzas de la Biblia. Estos charlatanes pondrán las señales milagrosas que realizan como evidencia de que sus enseñanzas son verdaderas. Pero el espíritu que está detrás de esas señales no es el Espíritu Santo.

También vemos la popularidad actual de estas religiones falsas o sustitutos de la religión en el hecho de que el número de libros, revistas, películas, programas de televisión y sitios de Internet referentes al ocultismo ha proliferado. La gente se está convirtiendo a los videntes psíquicos. Se está convirtiendo a los artistas del ocultismo. El libro *Angels of Deceit* [Ángeles del engaño] bosqueja los muchos engaños religiosos en que las personas se están cayendo actualmente. Estas falsedades alejan a hombres y mujeres de la Palabra de Dios. Permítame citar unos notables ejemplos.

En marzo de 1997, treinta y ocho miembros de la secta *Heaven's Gate* [Puerta del Cielo] siguieron hasta el suicidio a su dirigente, Marshall Applewhite. ¿Por qué lo hicieron? Ellos creían que alguna suerte de nave celestial estaba siguiendo al cometa *Hale-Bopp*, el cual estaba pasando por nuestra región del sistema solar. Estaban convencidos de que esa nave los recogería y milagrosamente los conduciría al siguiente nivel de existencia. Applewhite les dijo a sus seguidores que el planeta Tierra iba a ser reciclado, y que la única oportunidad de sobrevivir consistía en dejarlo junto con él. Y "dejarlo" significaba morir.

Applewhite engañó a sus seguidores con una visión distorsionada de los eventos finales. Sustituyó la Palabra de Dios con su palabra.

¿Pero sabe usted qué fue incluso más aterrador? Cuando se descubrió que 39 miembros de la secta habían muerto, las autoridades pusieron anuncios en la radio y la televisión diciendo: "Si usted no sabe dónde están sus hijos, y piensa que están afiliados a una secta, llámenos". ¡Y durante las pocas horas siguientes, la policía recibió 1.500 llamadas de padres que pensaban que sus hijos podrían estar implicados en una secta!

Otro ejemplo

He aquí otro ejemplo. En la década de 1970, Jim Jones capturó la atención del mundo. Condujo a 913 miembros de su organización religiosa, *The People's Temple* [El templo del pueblo], al engaño y finalmente a la muerte. Pero he aquí algo interesante: antes de conducir a tantas personas a matar a su familia y matarse a sí mismas, varios funcionarios del gobierno le habían dado respaldo e incluso reconocimientos por su obra en favor de los derechos civiles y la igualdad racial. Figuras locales y nacionales lo habían elogiado por su participación en la comunidad.

Las grabaciones en video de sus servicios religiosos revelan que las personas eran llevadas hasta el altar en sillas de ruedas, y ahí dejaban sus sillas de ruedas y corrían hasta el frente de la iglesia gritando que habían sido sanadas. Enfermos de cáncer afirmaban que sus tumores habían desaparecido, y muchas personas más, afligidas con varias enfermedades, gritaban que también habían sido sanadas.

Estas fueron las personas que siguieron al dirigente de su secta hasta las selvas de Guyana para establecer una sociedad utópica, y terminaron suicidándose al ingerir una bebida *Flavor-Aid* mezclada con cianuro. Fueron engañadas y no lo supieron. Es muy peligroso permitir que las enseñanzas de cualquier dirigente religioso sustituyan a las enseñanzas de la Biblia.

Las personas que aceptaron a David Koresh como su mesías también sufrieron a causa de la mala elección que hicieron. Koresh tenía unas enseñanzas extrañas concernientes al libro de Apocalipsis. Él creía que tenía cualidades divinas y que era el Cordero del Apocalipsis. Koresh creía que podía tomar las esposas de los miembros de su secta como "esposas espirituales". Muchas personas que lo siguieron eran sinceras, pero fueron sinceramente engañadas, y lo siguieron hasta la muerte. Aún recordamos el horror de la voz del agente de la Oficina Federal de Investigaciones (FBI por sus siglas en inglés) cuando gritaba mientras se transmitía por televisión: "¡Oh Dios mío, se están matando!"

Marshall Applewhite, Jim Jones y David Koresh son solo unos pocos ejemplos de lo que está pasando hoy en el plano internacional. Por todo el mundo prolifera esta clase de falsedades, y los engañadores religiosos se están levantando y conduciendo a las personas a aceptar su palabra en lugar de las sencillas enseñanzas de la Biblia.

Conforme al sitio de Internet *www.cultclinic.org*, se estima que de cinco a siete millones de estadounidenses están involucrados en sectas o grupos sectarios, cuyo número, según estimaciones de la clínica, oscila entre tres mil y cinco mil. Aproximadamente 180.000 nuevos reclutas se unen a estas sectas cada año.[2] Los hechos confirman que la advertencia de Cristo, "guardaos de los falsos profetas" (S. Mateo 7:15), es verdadera. Esta es en verdad una señal de los tiempos.

Pero la advertencia más urgente de las Escrituras es acerca del levantamiento del más peligroso de todos los falsos cristos: el anticristo. El anticristo del tiempo del fin personificará a Jesús como hacen todos los otros falsos cristos. Sin embargo, es tan asombrosamente engañoso que casi todo el mundo lo sigue. La Escritura dice: "Hace grandes señales, de tal manera que aun hace descender fuego del cielo a la tierra delante de los hombres. Y engaña a los moradores de la tierra con las señales que se le ha permitido hacer en presencia de la bestia" (Apocalipsis 13:13, 14).

Las señales que Jesús anunció en el campo de la religión se han estado cumpliendo delante de nuestros ojos. Le daremos una mirada más detenida a los engaños del anticristo en un próximo capítulo.

Señales políticas

Jesús ahora pasa al área de la política y los asuntos mundiales. Visualiza los eventos trascendentales que ocurrirán a escala internacional antes de su retorno. Aborda los conflictos internacionales y la guerra. Predice los mismísimos eventos que vemos que están ocurriendo en nuestro derredor ahora.

A través de los siglos, la humanidad siempre ha experimentado la guerra, pero las predicciones de Cristo van mucho más allá de las guerras individuales. Dijo que justo antes de su retorno no habría solo una guerra, sino que la guerra llegaría a ser un estilo de vida para millones de personas. Él declaró: "Oiréis de guerras y rumores de guerras" (S. Mateo 24:6).

Alguien podría preguntar: ¿No ha habido guerras siempre a lo largo de la historia? Si hemos tenido conflictos a través de los siglos, ¿qué sentido tiene decir que la guerra es una señal del fin del mundo?

Notemos cuidadosamente que Cristo dice: "Oiréis de guerras y rumores de guerras". "Guerras" está en plural. Jesús también predijo que justo antes del fin habría conflictos a escala global, en otras palabras, habría guerras mundiales. En efecto, Cristo no dijo que habría una guerra, sino que dijo: "nación contra nación, y reino contra reino" (vers. 7). Lo que Jesús predijo no se trataba de una guerra individual, sino de un mundo sumido en la guerra.

Permítame recordarle que en el siglo XX, nuestro mundo experimentó la Primera y la Segunda Guerra Mundial. El siglo XX ha sido el más sangriento de todos los tiempos. Un sociólogo estimó que en este siglo, la guerra fue responsable por la muerte de 231 millones de personas.[3]

En realidad, el mundo ha experimentado impactantes conflictos internacionales en el siglo pasado y en el comienzo del presente. Además de participar en las dos guerras mundiales, los Estados Unidos han intervenido en la Guerra Hispanoamericana, la Guerra de Corea, la de Vietnam, en dos guerras en Irak y en la de Afganistán. Ha habido otros conflictos en los que los Estados Unidos no ha intervenido tan directamente, por ejemplo en África y el Oriente Medio.

Y actualmente hay una nueva forma de guerra: el terrorismo, que exige una respuesta global. Los terroristas han hecho de nuestras calles su campo de batalla. Han golpeado desde Bali hasta España, de Londres a Nueva York; al parecer, sus ataques son interminables, lo que hace a los líderes políticos preguntarse dónde ocurrirá el próximo ataque terrorista.

En décadas recientes, los gobernantes han realizado valerosos intentos por alcanzar la paz. Aplaudimos esos esfuerzos. Pero también reconocemos que nunca habrá paz duradera hasta que regrese Jesús, el Príncipe de paz. La paz mundial es muy frágil. Apenas comienza a secarse la firma de un convenio de paz, cuando los conflictos resurgen otra vez. El apóstol Pablo lo describe de esta manera: "Cuando digan: Paz y seguridad, entonces vendrá sobre ellos destrucción repentina... y no escaparán" (1 Tesalonicenses 5:3).

¿Cuántas veces ha visto usted en la televisión a los árabes y los israelíes expresar un deseo de paz en el Oriente Medio? Y aún no pueden coincidir en un tratado de paz. El conflicto resurge una y otra vez. Otro terrorista ha hecho estallar un autobús en Jerusalén. Israel ha construido más asentamientos en los territorios ocupados. Vuelven a lanzar misiles desde la franja de Gaza.

Al borde de la autodestrucción

"Cuando digan: Paz y seguridad, entonces vendrá sobre ellos destrucción repentina... y no escaparán". Las centenarias profecías bíblicas se están cumpliendo hoy. Pese a todos sus mejores esfuerzos, las Naciones Unidas no han podido conseguir la paz mundial. La Biblia es exacta. Habla de nuestros días. Las Escrituras declaran que Jesús vendrá otra vez cuando la raza humana tenga la posibilidad de destruirse a sí misma. Él volverá a la tierra cuando este planeta esté al borde de la autodestrucción. Nunca antes en los siglos pasados tuvo la raza humana esa habilidad. Pero ahora, no solo destruimos nuestro ambiente, también hemos fabricado suficientes bombas como para aniquilar a la humanidad muchas veces.

El Apocalipsis lo describe así:

"Y se airaron las naciones, y tu ira ha venido, y el tiempo de juzgar a los muertos, y de dar el galardón a tus siervos los profetas, a los santos, y a los que temen tu nombre, a los pequeños y a los grandes, y de destruir a los que destruyen la tierra" (Apocalipsis 11:18).

Cuando Jesús vuelva, trayendo la recompensa, vendrá también para "destruir a los que destruyen la tierra". ¿Poseyó la raza humana la capacidad de destruir la tierra hace cien años? Por supuesto que no. Pensemos en las naciones que han desarrollado arsenales nucleares: además de los Estados Unidos, Rusia, Gran Bretaña, Francia y China, y ahora también la India, Paquistán, Corea del Norte, y probablemente Israel. Si Irán no tiene la capacidad nuclear en este momento, es posible que pronto la tenga.

¿Hemos eliminado la amenaza nuclear? ¿Es más seguro el mundo hoy que hace cincuenta años? La revista *Time* publicó un artículo que revela que la amenaza nuclear no se ha desactivado tan rápidamente como pensamos. Tomemos por ejemplo a Rusia. Después de la caída de la Unión Soviética, la economía rusa sufrió un severo descenso. En ese tiempo, cuando los científicos y el personal militar clave enfrentaba recortes en sus salarios, la tentación de vender planes y materiales nucleares era extremadamente alta. ¿Quién sabe si los planes y los materiales nucleares no cayeron en las manos equivocadas? Tenemos por lo menos un caso de un científico nuclear que vendió secretos nucleares por ganancias financieras. El eminente científico nuclear Abdul Qadeer Khan, de Paquistán, vendió secretos nucleares clave a varios países.

El programa de televisión, *60 Minutos,* transmitió un asombroso informe sobre las ciudades nucleares secretas de Rusia. Krasnoyarsk, una ciudad de cien mil personas en Siberia, no aparecía en ningún mapa. Sus reactores nucleares produjeron cuarenta toneladas de plutonio en cuarenta años. ¡Suficiente para hacer diez mil bombas atómicas! Había diez de estas llamadas ciudades secretas en Rusia. Estaban cerradas al público. Durante la era soviética, en todas ellas se produjo plutonio, el elemento clave para desarrollar bombas atómicas. Cada tres días, cada una de estas ciudades procesaba suficiente plutonio para fabricar una bomba atómica. ¡Cada tres días! De hecho, la preocupación llegó a tal grado que Bill Richardson, el ex secretario de Energía estadounidense, expresó su preocupación grave de que los terroristas y los Estados beligerantes estén empeñados en conseguir el plutonio ruso.

Hace varios años, Walter Lippmann, el reconocido columnista estadounidense, comentó sobre la amenaza de un holocausto nuclear. Él dijo: "Estamos al borde del conflicto más calamitoso que se pueda imaginar. En verdad, no se puede concebir". Ya en 1945, Guillermo Ripley, del afamado programa *"Believe it or Not"* [Aunque usted no lo crea], expresó sus graves temores sobre el poder de la bomba atómica. Al hacer un reportaje acerca de Hiroshima, Japón, el sitio de la primera detonación de una bomba atómica en acto de guerra, él dijo: "Estoy parado en el lugar donde comenzó el fin del mundo". Y este es un pensamiento solemne. Nunca se ha inventado un arma que no se haya usado.

Pero este mundo no va a ser destruido en ningún holocausto nuclear. Creo escuchar los pasos de Jesús que se aproxima. Creo escuchar el redoble del tambor del retorno de nuestro Señor. El tiempo no es un ciclo sin punto final. Una conclusión se avecina. Toda la historia se mueve hacia un clímax magnífico. En verdad, las señales de los tiempos están cumpliéndose. Jesús ha dicho que cruzará el umbral de la eternidad para entrar en el tiempo. Vendrá cuando la raza humana tenga la capacidad de destruirse. Él vendrá a liberarnos.

La esperanza y la ayuda están en camino. Podemos anticipar el retorno de Jesús. Aunque estén "desfalleciendo los hombres por el temor y la expectación de las cosas que sobrevendrán en la tierra" (S. Lucas 21:26), podemos mirar hacia adelante y vislumbrar un gozoso mañana. Jesús dice: "No miren a su alrededor; alcen la vista. ¡Vendré pronto!"

Nos invita a enfocarnos en la realidad divina que dentro de poco, él volverá a la tierra. Nuestro mundo no terminará sumergido en un conflicto nuclear. No terminará en algún estallido cósmico. Los despóticos líderes mundiales no tendrán la última palabra. Jesús la tendrá.

El anciano apóstol Juan, exiliado en la isla de Patmos, capturó una vislumbre de la majestad del retorno de Jesús. Él escribió:

> "Entonces vi el cielo abierto; y he aquí un caballo blanco, y el que lo montaba se llamaba Fiel y Verdadero, y con justicia juzga y pelea... Y los ejércitos celestiales, vestidos de lino finísimo, blanco y limpio, le seguían en caballos blancos... y en su vestidura y en su muslo tiene escrito este nombre: REY DE REYES Y SEÑOR DE SEÑORES" (Apocalipsis 19:11, 14, 16).

Jesús es nuestro Salvador, nuestro Redentor, nuestro Señor, y el Rey que viene. Es la Esperanza de los siglos. Es el justo Gobernante del mundo. Rápidamente se aproxima el día cuando ocupará el trono de este mundo y reinará con justicia para siempre. Usted y yo podemos vivir en ese mundo de paz para siempre.

Mientras tanto, hay más señales del tiempo del fin por ser descubiertas. Las exploraremos en el próximo capítulo.

---

[1] Esta profecía se cumplió en el año 70 d.C, cuando las tropas romanas al mando del general Tito atacaron Jerusalén, devastaron la ciudad y destruyeron el templo.

[2] "Cult Questions and Answers," Cult Hotline & Clinic, http://www.cultclinic.org/qa2.html.

[3] Milton Leitenberg, "Deaths in Wars and Conflicts in the 20th Century," (Cornell University Peace Studies Program, monografía 29, 3rd ed., 2006), http://www.cissm.umd.edu/papers/files/deathswarsconflictsjune52006.pdf.

Capítulo 3

Más señales de su advenimiento

El huracán que azotó Nueva Inglaterra el 21 de septiembre de 1938, fue el peor en la historia de la región. Durante mi infancia en el sur de Connecticut, escuchaba con frecuencia cómo los veteranos de la zona describían la furia de la monstruosa tormenta. Ellos contaban vívidamente la inundación de las ciudades, los edificios destruidos, los árboles caídos y las vidas perdidas.

Un reporte sobre la destrucción masiva ocasionada por la tormenta, preparado por el Laboratorio de la Costa y Recursos Hidráulicos, del Departamento de Defensa reveló que:

> Los vientos aumentaron gradualmente, desde la mañana del día 21, durante la tarde y hasta el oscurecer, de 80 a 100 millas [140-160 km] por hora, segando viviendas, derribando árboles, y arrojando barcazas y botes a tierra. En Nueva York y Nueva Inglaterra, el viento derribó 274 millones de árboles, dañó severamente más de 200.000 edificios, sacó los trenes de sus vías, e hizo encallar miles de botes. Los daños fueron estimados en 600 millones de dólares. Esto era según el valor de la moneda en 1938; las pérdidas en valor actual serían diez veces mayores. Considerando que los daños por el viento y la lluvia se extendieron hacia el norte hasta Rutland, Vermont, que manzanas enteras se quemaron en New London y otras ciudades industriales, y que los centros de Providence, Hartford y otras ciudades se inunda-

ron, si esa tormenta azotara hoy, el costo de los daños sería asombroso.[1]

En *A Wind to Shake the World: The Story of the 1938 Hurricane* [El viento que estremeció el mundo: La historia del huracán de 1938],[2] Everet S. Allen narra la epopeya de uno que vivió esa experiencia:

> El día del huracán, un agricultor norteño recibió un paquete con un barómetro que había encargado por correo. No importa cuántas veces intentara activarlo, el mercurio permaneció pegado al fondo del vaso. Finalmente, volvió a empaquetar el barómetro "descompuesto" y lo llevó a la oficina de correos. Cuando regresó a su propiedad, la casa había sido arrastrada por el mar.[3]

El viejo agricultor no pudo confiar en el instrumento que había comprado para advertirle de la tormenta. Pensó que el barómetro estaba descompuesto y, ¿cómo podía confiar en un "barómetro descompuesto"?

Millones de personas hoy día están ignorando las señales que Jesús nos está dando a manera de despertador para que nos preparemos para su regreso. No han podido discernir los augurios que los rodean. Corren a través de la vida tan absorbidos con las cosas de nuestro tiempo, que se hallan totalmente inconscientes de que estamos viviendo en el tiempo final, en los umbrales de la eternidad. En el capítulo anterior estudiamos algunas de las señales que Cristo dio a su pueblo en el mundo religioso y social para recordarle la cercanía de su retorno. En este capítulo avisamos especialmente sobre las señales que Jesús dijo que ocurrirían en la naturaleza y en la sociedad justo antes del clímax de la historia humana. También consideraremos la última señal del tiempo del fin, la que va a preceder inmediatamente al segundo advenimiento de Jesús.

La naturaleza trastornada

La Biblia predice que la naturaleza se saldrá de control justo antes del advenimiento de Jesús. Deberíamos esperar tornados, incendios, inundaciones y huracanes, una epidemia de destrucción que difícilmente podemos imaginar.

La lista bíblica de desastres naturales incluye la hambruna. Jesús dijo: "Habrá pestes, y hambres, y terremotos en diferentes lugares"(S. Mateo 24:7). Su declaración suscita algunas preguntas pertinentes. ¿No ha habido siempre hambrunas? ¿No ha habido siempre niños hambrientos?

La respuesta, por supuesto, es positiva. Sí, siempre ha habido niños hambrientos. El hambre no es algo nuevo. Pero esta es la diferencia. Jesús no predijo una sola hambruna. Él dijo que habría "hambres" en plural, hambres a escala internacional, hambrunas de una magnitud sin precedentes, precisamente antes de su retorno. Un vistazo ocasional a lo que está ocurriendo en todo el mundo revela que sus palabras se están cumpliendo. Las imágenes que centellean en las pantallas de la televisión mostrando niños famélicos y malnutridos, nos advierten del cumplimiento de la profecía. Las Naciones Unidas reportaron que 35 naciones requieren urgentemente de asistencia alimentaria, 28 de las cuales se hallan en África.[4]

La mayoría de los habitantes de Occidente tienen el estómago lleno, y tienen problemas con la obesidad, no con el hambre, así que es difícil para nosotros creer que la clase de hambruna que el Salvador dijo que habría antes de su retorno existe ahora. Cuando estamos rodeados de restaurantes de comida rápida y tiendas que no cierran, nos es difícil imaginar niños cuyos estómagos claman por alimento. A pesar de todo el dinero utilizado para proveer alimento a los países en desarrollo, las estadísticas sobre el hambre son sorprendentes. Una séptima parte de la población mundial, casi mil millones de personas, sufrirá hambre hoy. Más de 16.000 niños al día —seis millones cada año—, mueren por desnutrición. El mundo produce suficientes alimentos para todos, pero el acceso limitado y el aumento en los precios ocasionan una devastadora escasez. La predicción de Jesús acerca de la hambruna se cumple con asombrosa exactitud. La única esperanza es el advenimiento de Cristo.

Muchos están preocupados por otra tendencia perturbadora. Debido al aumento de la población, mucha de la tierra productiva se ha ido perdiendo. Por el mal manejo de la tierra, los desastres naturales y el crecimiento urbano, más de cien mil kilómetros cuadrados de tierra cultivable —millones de hectáreas— se pierden cada año. Más de sesenta países cuentan con menos del cinco por ciento de la tierra apta para la producción de alimentos.[5]

Después de hablar del hambre, Jesús también dijo que habría "pestes" (vers. 7). La peste se refiere a una epidemia o un mal de salud generalizado, y nos preocupa especialmente cuando representa peligro para los seres humanos. Las pestilencias pueden tener causas naturales, o pueden ser provocadas por descuido de los seres humanos.

El Evangelio de San Mateo, capítulo 24, dice que en el tiempo del fin habrá hambres y pestes. Esta profecía se está cumpliendo rápidamente. Probablemente usted ha oído reportes noticiosos sobre el uso nocivo de pesticidas en los cultivos, lo cual resulta en amenazas para la salud. Los agricultores sienten que deben aplicar muchos productos químicos en sus cultivos debido al incremento del número de variedades de insectos y de las enfermedades que los destruyen. Las pestes se extienden rápidamente en varias partes del mundo.

Se percibe un aumento en los casos de enfermedades epidémicas —nuevas y viejas— alrededor del mundo. Por ejemplo, oímos del mal de las vacas locas, de la gripe aviar, del VIH/SIDA, del Virus de Marburgo y de la enfermedad de Lyme. Y mientras los investigadores médicos trabajan fiel y diligentemente para controlar una enfermedad, otra estalla en alguna parte. Y otra vez vemos un cumplimiento de las profecías de Jesucristo.

Otra causa de problemas globales de salud es la contaminación del ambiente. Las Naciones Unidas reportan que cada año cerca de 21 mil millones de libras de sustancias tóxicas contaminan el mundo, y son la causa de miles de muertes prematuras.[6] Nuestro aire, nuestra tierra y nuestros canales están contaminados. Nuestros océanos y bosques están siendo rápidamente destruidos, y a menudo el alimento mismo es corrompido por productos químicos tóxicos. En 1992, 104 científicos galardonados con el Premio Nobel, y otros mil quinientos científicos reconocidos a nivel internacional, firmaron un documento titulado: "Científicos del mundo: una advertencia a la humanidad", en el que declararon: "No pasará más de una o tal vez pocas décadas antes de que nuestras posibilidades de esquivar las nuevas amenazas que ahora enfrentamos se pierdan, y las posibilidades de la humanidad se vean inmensurablemente disminuidas".[7]

Terremotos

El Salvador prosiguió con la lista de las señales de su retorno que podemos ver en el mundo natural. Él dijo: "Habrá pestes, y hambres, *y terremotos en diferentes lugares*" (vers. 7; la cursiva es nuestra). En otras palabras, la Biblia predice que habrá "una multitud de sacudidas" justo antes del retorno de Jesús. El libro de Apocalipsis nos habla del mayor terremoto que trastornará el planeta. El apóstol Juan lo vio en visión. Dijo que cuando golpee habrá "relámpagos y voces y truenos, y un gran temblor de tierra, un terremoto tan grande, cual no lo hubo jamás desde que los hombres han estado sobre la tierra" (Apocalipsis 16:18). Este terremoto, el más poderoso que jamás haya estremecido la tierra, ocurrirá a la venida de Cristo. Pero antes de esta sacudida, miles de terremotos en el mundo anunciarán el retorno de Jesús. Estos terremotos vendrán en sucesión rápida y sin advertencia. ¿Es para usted difícil de creer? Pues bien, conforme a cálculos confiables, este planeta ya está experimentando un promedio de 55 terremotos por día, o 20.000 por año.[8]

"Habrá grandes terremotos, y en diferentes lugares hambres y pestilencias; y habrá terror y grandes señales del cielo" (S. Lucas 21:11).

Esta convulsión en la naturaleza se manifestará de varias maneras. Huracanes, tifones y tornados se manifestarán en rápida sucesión. "Desfalleciendo los hombres por el temor y la expectación de las cosas que sobrevendrán en la tierra" (vers. 26).

¡Piense en esto! Habrá gente aferrada a sus hijos, sus casas destruidas, y preguntándose: "¿Qué puedo hacer? ¿A dónde voy? Pero como cristianos, tenemos esperanza en Jesús. Él nos fortalece para enfrentar los desafíos del presente, y para la crisis del fin de la historia de la tierra. Porque...

> Dios es nuestro amparo y fortaleza, nuestro pronto auxilio en las tribulaciones. Por tanto, no temeremos, aunque la tierra sea removida, y se traspasen los montes al corazón del mar; aunque bramen y se turben sus aguas, y tiemblen los montes a causa de su braveza (Salmo 46:1-3).

Cuando parece que toda la naturaleza está fuera de control, Dios todavía está en control. Nuestra fe no tiene que tambalearse cuando la tierra se estremece. Los huracanes, los tornados, los terremotos, la hambruna, los incendios y las inundaciones azotarán con creciente frecuencia y de manera imprevista. Parecerá que toda la tierra clama por liberación. Una frase que el apóstol Pablo escribió resonará para la generación que sea testigo de todo esto: "Sabemos que toda la creación gime a una, y a una está con dolores de parto hasta ahora" (Romanos 8:22). En medio de todo esto, Dios no nos abandonará. Él nos sostendrá. Como dice el antiguo himno: "Cuando te quiero más... cerca tú estás, mi buen Salvador, cuando te quiero más".

Recientemente, nuestro mundo ha experimentado enormes maremotos. Dos de los más poderosos que jamás hayan azotado la tierra desde que se tiene registro, azotaron durante la década pasada. El maremoto del 24 de diciembre de 2004, generado por un terremoto que registró una intensidad de 9,1 en la escala de Richter, mató a más de 230.000 personas casi al instante, y los daños que ocasionó son indescriptibles. Cientos de miles quedaron sin hogar, y los esfuerzos de socorro fueron insuficientes ante la asombrosa necesidad humana.[9]

El viernes 11 de marzo de 2011, un terremoto de 9,0 golpeó la costa oriental de Japón. Hasta donde sabemos, fue éste el terremoto más poderoso que azotara Japón, y ha sido uno de los cinco sismos más poderosos desde que el sistema moderno de registro comenzó en 1900. El terremoto ocasionó olas enormes y poderosas que alcanzaron los 42 metros (133 pies) de altura y se internaron hasta diez kilómetros (seis millas) sobre tierra.

El 19 de diciembre de 2012, un reporte de la Policía Nacional confirmó que murieron 15.878 personas, 6.126 quedaron heridas, y 2.713 resultaron desaparecidas; que 129.714 edificios fueron totalmente colapsados, y que 267.612 edificios estaban "medio colapsados", y otros 731.580 edificios fueron parcialmente dañados.[10] Un reporte de la Agencia de Reducción de Riesgos por Desastres de las Naciones Unidas calculó el costo económico en 210 mil millones de dólares estadounidenses, lo que lo ubica como el más costoso desastre natural de la historia.[11]

En el pasaje de San Lucas anteriormente citado, Jesús habló también de señales intimidantes en los cielos. En la temporada de huracanes de 2005, el Océano Atlántico dio origen a más tormentas dignas de recibir un nombre oficial que nunca antes. El huracán *Katrina* fue la tormenta más costosa en la historia de los Estados Unidos, pues produjo daños valorados en 108 mil millones de dólares.[12]

Y la serie de tornados habidos en los Estados Unidos en las temporadas de 2008 a 2012, ha devastado pueblo tras pueblo. Esta plaga de tornados sin precedentes ha infligido daños a las comunidades por miles de millones de dólares.

La frecuencia intensificada de estos desastres naturales es una señal del retorno de nuestro Señor. Toda la tierra está clamando: "¡Oh Jesús, ven pronto!" La madre tierra está con dolores de parto. Pronto Jesús vendrá, no como un bebé en el pesebre de Belén, sino como el soberano legítimo de la tierra, el Rey de reyes y Señor de señores. Las señales que vemos en el mundo natural no son para estremecernos. Son señales de esperanza, que gritan con fuerza que casi estamos en el hogar.

Pero recuerde: ninguna señal, ningún evento por sí solo, nos dice que él viene inmediatamente. Cuando vemos todas las señales que nuestro Señor advirtió que ocurrirían en todo el mundo y con incrementada frecuencia, podemos saber que, en verdad, su venida está cerca.

Señales en la sociedad

Luego de haber visto lo que la Biblia dice respecto a las señales de la venida de Cristo en el mundo religioso, político y natural, ahora consideremos sus predicciones concernientes a la sociedad en general.

Nuestro Señor predijo que la fibra moral de la sociedad se derrumbaría precisamente antes de su retorno. La decadencia moral, la corrupción, y la violencia, anegarían toda la tierra. Él dijo: "Como en los días de Noé, así será la venida del Hijo del Hombre. Porque como en los días antes del diluvio estaban comiendo y bebiendo, casándose y dando en casamiento, hasta el día en que Noé entró en el arca" (S. Mateo 24:37, 38).

¿Qué hay de malo en comer y beber? ¿Qué hay de malo en casarse y darse en matrimonio? Nada, por supuesto, a menos que las personas llenen sus vidas con estas cosas y no dejen espacio para Dios. Este pasaje describe a gente que, cuando este mundo estaba al borde de la destrucción por el diluvio, continuaba viviendo vidas egocéntricas e impías. El placer dominaba sus vidas, e ignoraron las señales de los tiempos.

Noé proclamó: "Viene un diluvio", pero la gente de su tiempo estaba tan absorbida en la rutina de sus vidas que lo consideraron como un fanático enloquecido. No eran motivados por lo espiritual. No se arrepintieron de sus pecados. Estaban concentrados en el aquí y ahora. Sus mentes fueron absorbidas por las cosas de esta vida, las cuales desplazaron la eternidad de sus pensamientos.

Jesús predijo que las mismas actitudes prevalecerían precisamente antes de su segundo advenimiento. A pesar de que estamos viviendo en el umbral de la eternidad, muchas personas están consumidas con el aquí y ahora, y han desechado la idea de vivir vidas santas.

Jesús también predijo que los últimos días se caracterizarían por una moralidad laxa. Cuando el Salvador dice "será como en los días de Noé", está diciéndonos que la condición espiritual de la sociedad prevaleciente en la tierra justo antes de su advenimiento, será similar a la de los días de Noé, cuando Dios sintió que era tan pésima que tanto la condición como el mundo en que existía debían ser destruidos. El primer libro de la Biblia, el Génesis, provee información sobre "los días de Noé". Dice: "Vio Jehová que la maldad de los hombres era mucha en la tierra, y que todo designio de los pensamientos del corazón de ellos era de continuo solamente el mal... Y se corrompió la tierra delante de Dios, y estaba la tierra llena de violencia" (Génesis 6:5, 11).

Echemos una mirada a algunas estadísticas asombrosas respecto a los partos de mujeres no casadas en los Estados Unidos. Más del 40 por ciento de los niños nacidos en Estados Unidos son hijos de madres solteras, y el porcentaje de niños nacidos a mujeres de quince a diecinueve años es elevadísimo.[13] En los pasados cuarenta años, el 67 por ciento de los matrimonios se disolvió en los Estados Unidos.[14] En 2010, la Oficina del Censo reportó que el 50 por ciento de los hogares en los Estados Unidos está a cargo de personas no casadas.[15]

Y esta tendencia se está esparciendo con rapidez por todo el mundo. El modelo bíblico de la familia está siendo sacudido en la sociedad del siglo XXI. Cada vez más naciones están aceptando el matrimonio de personas del mismo sexo como si fuera tan válido como el matrimonio entre un hombre y una mujer. ¡Qué tragedia que el amor haya degenerado en lujuria! ¡Qué tragedia que la tasa de divorcios con frecuencia deja a los niños perdidos en la confusión y la devastación.

Pero hay esperanza. Cualesquiera sean los golpes que le aseste la vida, y cualesquiera sean las circunstancias en que usted se encuentre, Dios está ahí, y puede hacer un milagro en su favor. Él es el Dios de los nuevos comienzos. Él puede darle una nueva evidencia de su amor y su cuidado. Él lo estrechará en sus brazos. Él le ofrece un nuevo futuro. No importa los errores que usted haya cometido, Dios lo perdonará y le dará un nuevo comienzo. El mensaje que Dios envió por medio de Jeremías, se dirige especialmente a usted:

> Yo sé los pensamientos que tengo acerca de vosotros, dice Jehová, pensamientos de paz, y no de mal, para daros el fin que esperáis. Entonces me invocaréis, y vendréis y oraréis a mí, y yo os oiré (Jeremías 29:11, 12).

Otro aspecto de este pasaje es la violencia mundial sin precedentes en el mundo. El tejido social se está desgarrando. Vivimos en un mundo de crimen y violencia en aumento. Los medios masivos de comunicación han introducido estos males en nuestros hogares de maneras perturbadoras. Los juegos de los niños están llenos de violencia. Aun las caricaturas que solían proveer un entretenimiento inocente, ahora están caracterizadas por una violencia estremecedora. Alguien ha estimado que, en promedio, ¡un niño de doce años de edad ha visto en la televisión unos catorce mil homicidios! Los investigadores aún están intentando comprobar cómo esta creciente dosis de violencia ha afectado la conciencia en desarrollo de estos niños.

La violencia se ha convertido en una preocupación global. La Organización Mundial de la Salud ha revelado cuán grande es este problema a escala global. El primer informe mundial sobre la violencia ha producido algunas estadísticas escalofriantes.[16] "Cada año, más de un millón seiscientas mil personas en el mundo pierden la vida por causa de la violencia… muchos más son heridos o sufren una gama de problemas físicos, sexuales, reproductivos y mentales. La violencia está entre las principales causas de muerte en personas de 15 a 44 años de edad en el mundo, y representa cerca de un catorce por ciento de las muertes entre varones y siete por ciento entre las mujeres en este grupo".[17]

Lo que está pasando en nuestro mundo hoy pareciera ser un reflejo del relato del Génesis sobre la epidemia de violencia en el tiempo del diluvio. La descripción bíblica de los días de Noé hace eco en nuestros oídos: "Y se corrompió la tierra delante de Dios, y estaba la tierra llena de violencia" (Génesis 6:11).

La Biblia incluye también la incertidumbre económica como una señal de los últimos días. Santiago, el hermano de Jesús describe la condición económica de nuestro mundo antes de la segunda venida de Jesús de esta manera:

¡Vamos ahora, ricos! Llorad y aullad por las miserias que os vendrán. Vuestras riquezas están podridas, y vuestras ropas están comidas de polilla. Vuestro oro y plata están enmohecidos; y su moho testificará contra vosotros, y devorará del todo vuestras carnes como fuego. Habéis acumulado tesoros para los días postreros (Santiago 5:1-3).

Las profecías apocalípticas del tiempo del fin añaden más detalles a las condiciones económicas precisamente antes del retorno de nuestro Señor. Aparentemente habrá un repentino colapso de la economía mundial. "Los mercaderes de la tierra lloran y hacen lamentación sobre ella, porque ninguno compra más sus mercaderías... Porque en una hora han sido consumidas tantas riquezas. Y todo piloto, y todos los que viajan en naves, y marineros, y todos los que trabajan en el mar, se pararon lejos" (Apocalipsis 18:11, 17).

Mientras escribo estas palabras, los Estados Unidos se están ahogando en su deuda, la cual se aproxima a unos sorprendentes 16 trillones de dólares.[18] Esto equivale a ¡más de 50.000 dólares por cada ciudadano estadounidense! Los estadounidenses deben aproximadamente 800 mil millones de dólares en tarjetas de crédito personales, y la cantidad sigue creciendo cada día.[19]

No estamos solos en nuestra crisis por causa de la deuda nacional. Europa también se tambalea bajo la pesada carga de la deuda. Las economías de Grecia, España e Italia están tambaleando, al borde del colapso. Francia e Inglaterra, que solían ser los puntales de la economía europea, también están sufriendo. Una cosa es cierta: ninguna sociedad puede incrementar continuamente su deuda personal y nacional sin colapsar económicamente algún día. La escritura está en la pared. Vamos rumbo al desastre económico. Pero la esperanza también está en camino.

Sin embargo, antes de hablar de esta esperanza, debemos considerar cuidadosamente dos señales más.

Primero un ángel le dijo al profeta Daniel: "Cierra las palabras y sella el libro hasta el tiempo del fin. [Cuando] muchos correrán de aquí para allá, y la ciencia se aumentará" (Daniel 12:4).

Cualquiera que piense que el conocimiento no ha aumentado ignora totalmente la era digital. La cantidad de conocimiento que tenemos está creciendo en una medida explosiva. Cuando mi nieta de tres años de edad me enseña acerca de su *iPad*, ¡me convenzo de que el conocimiento está aumentando! Hace pocos años, quienes querían comunicarse con personas al otro extremo del mundo debían escribir una carta con una pluma o mecanografiarla y enviarla por correo en un largo viaje de varios días. Ahora enviamos y recibimos gigabytes de información a cualquier parte del mundo y al instante. El conocimiento ha aumentado dramáticamente.

Más del 90 por ciento de todos los científicos y técnicos que jamás hayan vivido están vivos hoy día. Cada vez que usted enciende su computadora, revisa sus mensajes en su *iPhone*, lee un libro en su *Kindle* o juega en su *iPad*, testifica que el conocimiento está aumentando a un ritmo exponencial. Es también muy asombroso que los aparatos que hoy nos deslumbran por lo genial de su diseño, en seis meses estén atrasados cuando el siguiente modelo llegue al mercado.

Pero cuando el ángel le estaba hablando a Daniel acerca de una explosión del conocimiento, le estaba hablando de algo mucho más importante que el conocimiento intelectual, más importante que el conocimiento científico. Estaba hablando de un conocimiento de las profecías de las Escrituras y especialmente de las profecías de Daniel del tiempo del fin. Justo antes del retorno de nuestro Señor, el evangelio será proclamado poderosamente en el mundo. La tierra será iluminada con el conocimiento de la gloria de Dios (ver Apocalipsis 18:1).

La última señal

Hay una señal más, la última señal. Cuando la veamos, sabremos que casi estamos en el hogar. Estamos al filo del advenimiento de Jesús. ¿Cómo sabremos que el regreso de Jesús está cerca? Lo sabremos cuando veamos que el evangelio está siendo predicado en todo el mundo.

El apóstol Juan dijo que "el evangelio eterno" será predicado a "los moradores de la tierra, a toda nación, tribu, lengua y pueblo" (Apocalipsis 14:6). Y Jesús dijo que cuando "el evangelio del reino" sea predicado *en todo el mundo,* para testimonio a todas las naciones... entonces vendrá el fin" (S. Mateo 24:14, la cursiva es nuestra). Así que cuando veamos que el evangelio es proclamado alrededor del mundo, sabremos que el fin está cerca.

A fin de terminar su obra en la tierra en nuestros días, Dios está utilizando múltiples formas de comunicación. Él no desea "que ninguno perezca" y "quiere que todos los hombres sean salvos y que vengan al conocimiento de la verdad" (2 Pedro 3:9; 1 Timoteo 2:4). Piense en esto por un momento. Por vivir en el siglo XXI, tenemos los más sofisticados sistemas de comunicación en la historia de este mundo. Por medio de enormes redes globales de radio, sistemas internacionales de televisión, gigantescas casas publicadoras, conexiones instantáneas de *Internet*, y un sistema global de comunicación, este mundo está conectado como una aldea global. Lo que ocurre en una parte del mundo es conocido casi instantáneamente en otro lugar del mundo a miles de kilómetros de distancia. Incluso los regímenes totalitarios, los gobernantes despóticos, y los gobiernos intolerantes son impotentes para suspender la transmisión del evangelio. Dios está interviniendo en ello. Está utilizando los avances de la comunicación como un vehículo por medio del cual el evangelio sea compartido con cada persona del planeta.

La profecía se está cumpliendo. En los países ex comunistas, Dios está realizando milagros. El Muro de Berlín se ha derrumbado. La Cortina de Hierro ha caído. Muchos regímenes totalitarios ya no existen. Dios está realizando cosas asombrosas a través de Europa Oriental y la Ex Unión Soviética. El evangelio está avanzando en poder, y decenas de millares están respondiendo al llamamiento final de Dios.

Dios también está abriendo puertas en China, las que habían sido cerradas durante años. He aquí algunos comentarios de *Foreign Policy:*

En medio de una creciente tensión social y un ominoso panorama económico, algunos sectores del oficialmente ateo Partido Comunista parecen estar simpatizando con el cristianismo. Se está donando tierra, se construyen iglesias, y el gobierno chino está realizando investigaciones sobre las contribuciones positivas de los cristianos, un gobierno que hasta hace poco trataba a la religión como una fuerza dañina pero inevitable.[20]

Aunque actualmente es imposible saber el número exacto de cristianos en China, la mayoría de los expertos en el tema cree que hay por lo menos sesenta millones. En una región del noreste de China, más de tres mil personas fueron bautizadas en un lapso de tres días en un distrito de iglesias. Cada semana hay más cristianos en las iglesias en China que en toda Europa. El cristianismo está creciendo de manera explosiva ahí.

Hablemos de la India, un país que durante siglos se ha resistido a la predicación del evangelio. Los primeros misioneros cristianos trabajaron ahí durante décadas con solo unos pocos conversos como fruto de sus labores. Pero actualmente hay en la India una nueva receptividad hacia el evangelio. Millares están acudiendo a Jesús y siendo bautizados. Muchos hindúes se están convirtiendo en cristianos. En una sección del norte de la India, más de cien mil personas han aceptado a Jesús. Pueblo tras pueblo, la gente suplica que alguien les hable de Jesús.

Dios está en acción. La profecía se está cumpliendo. El Espíritu de Dios está siendo derramado. El evangelio está llegando al mundo. Y ahora, un reavivamiento espiritual está ocurriendo en África. Dios está haciendo algo inusual y, como resultado, decenas de millares están siendo bautizados en Jesucristo y comprometiéndose a seguir su Palabra.

Es cierto que hay regiones resistentes al evangelio, lugares donde millones de personas aún necesitan escuchar las palabras de la verdad de Dios. Las ciudades más grandes del mundo, el Oriente Medio islámico, y las religiones no cristianas importantes en otros lugares, todavía representan desafíos formidables a nuestra proclamación del evangelio a *todo* el mundo en esta generación. Pero es obvio que Dios está en acción, y por medio del derramamiento de su poderoso Espíritu Santo, él alcanzará lo que parece imposible. El evangelio será proclamado hasta los confines de la tierra. En la hora final de la tierra, cada persona del planeta tendrá la oportunidad de aceptar el mensaje de Jesús para los últimos días. Dios cumple su Palabra. Estamos en el umbral del reino. Las señales que nuestro Señor dio se están cumpliendo. Es la medianoche, y Dios está llamando a hombres y mujeres. Nos está llamando a usted y a mí a prepararnos para su retorno.

[1.] "The Great New England Hurricane of 1938," Coastal and Hydraulics Laboratory, http://chl.wes.army.mil/shore/newyork/longisland/1938hurricane.pdf.

[2.] Everett S. Allen, *A Wind to Shake the World: The Story of the 1938 Hurricane* (Nueva York: Little, Brown, 1976).

[3.] Allen, *A Wind to Shake the World;* citado en la lectura del 21 de septiembre titulada "River of Dreams," (ver www.dougsimpson.com/river/archives/0001129.html.)

[4.] "Aumentan las reservas mundiales de alimentos, pero el hambre persiste en la región del Sahel, Oriente Medio—UN Report," UN News Centre, June 13, 2012, http://www.un.org/apps /news/story.asp?NewsID=42215&Cr=Food&Cr1=.

[5.] "Geography Statistics: Land Use, Arable Land (Most Recent) by Country," nationmaster.com, http://www.nationmaster.com/graph/geo_lan_use_ara _lan-geography-land-use-arable.

[6.] "Toxic Chemicals Released by Industry This Year," Worldometers.info, http://www.worldometers.info/view/toxchem/.

[7.] Henry Kendall, "World Scientists' Warning to Humanity," 18 de noviembre, 1992, transcripción disponible en http://www.worldtrans.org/whole/warning.html.

[8.] "FAQs—Earthquake Myths," U.S. Geological Survey Earthquake Hazards Program, 27 de octubre, 2009, http://earthquake.usgs.gov/learn /faq/?categoryID=6&faqID=110.

[9.] "Tsunami Report Criticizes Relief Effort," *Guardian,* 5 de octubre, 2005, http://www.guardian.co.uk/world/2005/oct/05/internationalaidanddevelopment.tsunami2004.

[10.] "Damage Situation and Police Countermeasures Associated With 2011 Tohoku District—Off the Pacific Ocean Earthquake, 13 de junio, 2012," National Police Agency of Japan, http://www.npa.go.jp/archive/keibi/biki/ higaijokyo_e.pdf.

[11.] "Disasters Cost $380 Billion in 2011, Says UN," AFP, 5 de marzo, 2012, http://bit.ly/yEgflJ.

[12.] Richard D. Knabb, Jamie R. Rhome y Daniel P. Brown, "Tropical Cyclone Report, Hurricane Katrina, 23-30. Agosto 2005", National Hurricane Center, 20 de diciembre, 2005, http://www.nhc.noaa.gov/pdf/TCR-AL122005 _Katrina. pdf.

[13.] "En 2010, más de cuatro en diez partos (41 por ciento) fueron entre mujeres no casadas". Child Trends Data Bank, last updated March 2012, http:// www .childtrendsdatabank.org/?q=node/196.

[14.] John Gottman y Nan Silver, *The Seven Principles for Making Marriage Work* (Nueva York: Three Rivers Press, 1999), p. 4.

[15.] *U.S. Census Bureau, Statistical Abstract of the United States: 2012,* p. 55, http://www.census.gov/compendia/statab/2012/tables/12s0063.pdf. Este cálculo incluye madres solteras (por mucho, el grupo más numeroso) y padres solteros; aquellos que fueron casados y divorciados; los que nunca se han casado; las parejas en unión libre; las familias compuestas por hermanos que viven juntos, y los viudos.

[16.] Etienne G. Krug, Linda L. Dahlberg, James A. Mercy, Anthony B. Zwi y Rafael Lozano, eds., *World Report on Violence and Health* (Geneva: World Health Organization, 2002).

[17.] "I'm Playing Hide and Seek," World Health Organization "Explaining Away Violence" poster series, http://www.who.int/violence_injury_prevention / violence/global_campaign/en/PostExpGeneral.pdf.

[18.] Ver http://www.usdebtclock.org/.

[19.] Ver http://www.creditcards.com/credit-card-news/credit-card-industry -facts-personal-debt-statistics-1276.php.

[20.] Eric Fish, "China's 'Come to Jesus' Moment," *Foreign Policy,* 15 de febrero, 2012, http://www.foreignpolicy.com/articles/2012/02/15/china_christian _awakening.

Capítulo 4

Una tremenda sorpresa

Era el orgullo de la flota de 22 barcos de la compañía Townsend Thoresen, un navío magnífico bautizado con el nombre *Herald of Free Enterprise* [Heraldo del libre comercio]. El barco transportaba pasajeros y vehículos a través del Canal Inglés en una comodidad de primera clase. Con sus 130 metros (433 pies) longitud y un desplazamiento de casi ocho mil toneladas, podía sortear cualquier clase de tormenta.

Aun así, la noche del 6 de marzo de 1987, los pasajeros del *Herald* experimentaron una terrífica sorpresa, y 193 hombres, mujeres y niños perdieron la vida en cuestión de segundos. ¿Cómo pudo suceder tal tragedia solo porque alguien se olvidó de cerrar un par de puertas?

Todos los preparativos para cruzar de Bélgica a Inglaterra transcurrieron rutinariamente. La tripulación había hecho lo mismo incontables veces. El *Herald of Free Enterprise* era un transbordador en el cual los vehículos entraban sobre sus propias ruedas y no cargados por una grúa. Cientos de vehículos y pasajeros podían abordar rápidamente a través de las enormes puertas de acero de la proa.

A las 7:05 p.m. en esa tarde grisácea de invierno, el *Herald* comenzó a salir del muelle en la bahía de Zeebrugge. El mar estaba en calma y soplaba un viento ligero.

Leslie Sabel, oficial de carga, se hallaba en la cubierta G de controles, donde estaban estacionados los vehículos. Al otro lado del espacio mal iluminado, vio a alguien en sobretodo anaranjado moviéndose entre los autos y los camiones hacia la proa. Pensó que se trataba de

Mark Stanley, el tripulante cuyo trabajo era cerrar la puerta de doce toneladas de la proa, que era operada hidráulicamente. Satisfecho de que el trabajo se habría de realizar, Sabel subió la escalera hacia el puente.

Por su parte, Stanley estaba en su camarote, profundamente dormido. Como el resto de la tripulación, estaba trabajando un turno de 24 horas. Esa tarde, después de hacer algún trabajo de mantenimiento, había decidido prepararse un té en su cabina. Entonces, sintiéndose muy cansado, se sentó en su camarote, abrió un libro y se durmió casi de inmediato. Y permaneció dormido durante los anuncios previos a la travesía.

El capitán del barco, David Lewry, pudo haber advertido que las puertas de la proa estaban aún abiertas, las luces laterales aún brillaban sobre ellas, pero apenas se veían desde el puente de mando. Pero por estar sacando el barco del atracadero, estaba mirando hacia la popa. Y para cuando el *Herald* completó el giro, se encontraba en la oscuridad.

A las 7:20 p.m., el barco aceleró hacia el canal principal, rumbo a la bahía, y las olas comenzaron a ganar altura frente a la proa. Según el *Herald* continuaba ganando velocidad, el agua espumosa quebró sobre el tope de la cubierta ocupada por los vehículos, y comenzó a inundar el barco a un ritmo de doscientas toneladas por minuto. El suelo plano donde se encontraban los vehículos ocupaba todo el nivel, así que no había nada que interrumpiera la invasión líquida del *Herald*.

Mientras la cubierta de los vehículos se inundaba, la mayoría de los pasajeros estaba sentada en los restaurantes del barco, haciendo fila en la tienda, o relajándose cómodamente en los salones, conversando o dormitando. Todos se sentían cómodos y seguros. Pero a las 7:27 p.m., el *Herald* comenzó a inclinarse hacia la izquierda. Mientras los tripulantes y pasajeros se preguntaban qué ocurría, el barco se enderezó momentáneamente y luego se volteó completamente hacia el otro costado. El agua del mar se abalanzó a través de las ventanas en las cubiertas superiores y el barco comenzó a hundirse. Los que no murieron aplastados o ahogados trataron de buscar un lugar seguro, aferrándose a lámparas y repisas para abrirse camino hacia lo que ahora era la parte superior del barco.

Lo que le ocurrió tan repentinamente al *Herald of Free Enterprise* esa noche fue el peor desastre marítimo en tiempo de paz en Inglaterra desde el hundimiento del *Iolaire* en 1919. Fue algo completamente inesperado. En cuestión de segundos, el mundo dentro del *Herald* había sido completamente invertido. En un instante los pasajeros estaban masticando sus sandwiches de jamón, y en el siguiente estaban dando tumbos entre las mesas. En un instante, los pasajeros estaban comprando *souvenirs*, y en el siguiente estaban siendo arrastrados por una corriente de agua helada de mar. ¿Cómo prepararse para algo así?

Tomados por sorpresa

La Biblia habla de otro acontecimiento que ocurrirá pronto y que muchas personas van considerar un desastre. Los eventos mundiales de hoy están avanzando hacia el gran clímax de la historia. Para algunas personas ese será un acontecimiento glorioso, pero otros serán golpeados con todo el terror que se experimenta cuando los ladrones entran en las casas a medianoche. Note usted cómo lo describe el apóstol Pablo: "El día del Señor vendrá así como ladrón en la noche; que cuando digan: Paz y seguridad, entonces vendrá sobre ellos destrucción repentina" (1 Tesalonicenses 5:2, 3).

¿Qué es este "día del Señor"? Es el segundo advenimiento de Cristo. Es el retorno prometido de nuestro Señor. Él dijo que se iba para poder preparar un lugar en el cielo para sus seguidores, y prometió que volvería para llevarlos con él allá.

Algunas personas verán el segundo advenimiento como un acontecimiento glorioso. Pero para otros, será como la llegada de los ladrones a la medianoche.

Esto último no tiene por qué suceder. Su mundo no debería voltearse al revés cuando Jesús regrese. Y puede, en efecto, voltearse al derecho. Considere el resto de este pasaje de 1 Tesalonicenses:

Mas vosotros, hermanos, no estáis en tinieblas, para que aquel día os sorprenda como ladrón. Porque todos vosotros sois hijos de luz e hijos del día; no somos de la noche ni de las tinieblas. Por tanto, no durmamos como los demás, sino velemos y seamos sobrios (vers. 4–6).

Las personas que han hecho un pacto con Jesucristo, la Luz del mundo, son llamados hijos de luz. Ya no andan tanteando en la oscuridad. Tienen un Amigo que los conduce hacia un futuro seguro. Tienen la seguridad de que Jesús va a volver para llevarlos a su eterno hogar. Cuando Jesús regrese, clamarán con gozo: "He aquí, éste es nuestro Dios, le hemos esperado, y nos salvará" (Isaías 25:9). Lo que es una aterradora sorpresa para los perdidos de este mundo, es razón de alegría y regocijo para aquellos que han consagrado su vida a Jesús.

Así que Pablo dice: "Si usted pertenece al día, no dormite espiritualmente. Despiértese. Hay que velar y estar sobrios". Otras traducciones dicen: "Estemos alerta y seamos sobrios".

Cuando Jesús vuelva, aparecerá como un ladrón en la noche solo para aquellos que están durmiendo. Para los que estén despiertos, aparecerá como un maravilloso Amigo y Salvador. Tiene mucho que ver si estamos espiritualmente dormidos o despiertos en el segundo advenimiento de Cristo. Es un acontecimiento importante. El destino eterno de cada ser humano que ha vivido en la tierra será entonces decidido. Se trata de algo de máxima importancia.

Consideremos la razón porque las personas comienzan a dormitar espiritualmente, especialmente en lo concerniente al retorno de Jesús a la tierra. En primer lugar, ha pasado mucho tiempo desde que Jesús prometió volver. Dos milenios de espera es mucho tiempo, de manera que para la gente resulta fácil olvidar el regreso de Jesús o colocarlo en un futuro distante, permitiendo que el presente se llene de deberes y responsabilidades que desplazan lo eterno.

El paso del tiempo atenta contra la eternidad.

Los problemas de hoy atentan contra el gozo del mañana.

Las preocupaciones del momento atentan contra nuestras esperanzas del futuro.

Es interesante que la Biblia anticipara este estado mental. Anticipó lo que ocurriría cuando la gente pensara que la segunda venida de Jesús se tardaba. Jesús contó la historia de diez muchachas que estaban esperando el comienzo de una boda. Conforme al relato, "tardándose el esposo, cabecearon todas y se durmieron" (S. Mateo 25:5).

La llegada del esposo tomó por sorpresa a ambos grupos, el de las vírgenes sabias y el de las imprudentes. La diferencia entre las dos clases no es que las sabias estuvieran despiertas y las necias estuvieran dormidas. Es que las sabias estaban preparadas y las necias no.

Este es el panorama. El tiempo pasa. Todo parece ser tan normal. La vida parece continuar en su rutina regular, y entonces de repente sucede lo inesperado. Veamos cómo lo describe el apóstol Pedro: "En los postreros días vendrán burladores... diciendo: ¿Dónde está la promesa de su advenimiento? Porque desde el día en que los padres durmieron, todas las cosas permanecen así como desde el principio de la creación" (2 Pedro 3:3, 4).

"Todas las cosas permanecen". Las personas ven las estaciones venir e irse al paso de los años. El patrón nunca cambia. Generaciones vienen y van; la vida humana prosigue. Es difícil imaginar una interrupción sobrenatural.

Y tienen algo de razón. Algunas veces es difícil imaginar a Jesús irrumpiendo en el firmamento.

Entonces, ¿qué es lo que Pedro les contesta a los burladores? ¿Qué seguridad nos ofrece?

Él dice que estos escépticos olvidan una cosa importante: que el Creador hizo los cielos arriba y la tierra abajo. Y que una vez cubrió la tierra con un diluvio.

¿Cuál es el argumento de Pedro? Pues bien, él está recurriendo a la causa real de la duda y el escepticismo. A fin de cuentas, ¿quién controla la historia?

Cuando todo parece repetirse y nada cambia, es fácil suponer que nosotros estamos a cargo de todo. Inconscientemente desplazamos a Dios del cuadro. Llegamos a creer que él está fuera, en alguna otra dimensión, y que en la práctica no tiene mucha injerencia sobre este planeta.

Así que Pedro dice: "Deténganse y piensen en quién hizo todo esto. Dios creó este planeta, y todo el universo, por su Palabra. Todo llegó a existir a su mandato. Aquel que dio comienzo a todo es suficientemente capaz de terminarlo todo. Su palabra todavía es poderosa". En efecto, Pedro está diciendo: "Piensen en esto. Toda la historia humana tuvo un punto de comienzo. Dios creó este mundo. Y esta tierra, tal como la conocemos, tendrá un punto final. Jesús vendrá otra vez".

Pedro hace una explicación explícita de ese punto en este pasaje. Él dice:

> Los cielos y la tierra que existen ahora, están reservados por la misma palabra, guardados para el fuego en el día del juicio y de la perdición de los hombres impíos. Mas, oh amados, no ignoréis esto: que para con el Señor un día es como mil años, y mil años como un día. El Señor no retarda su promesa, según algunos la tienen por tardanza, sino que es paciente para con nosotros, no queriendo que ninguno perezca, sino que todos procedan al arrepentimiento (vers. 7-9).

Dios no es descuidado. Ha retrasado su regreso por amor. Siente un profundo deseo de rescatar a su pueblo perdido y traer a las personas al conocimiento salvador de su gracia. No quiere que ningún ser humano se pierda. Él es compasivo. En esta larga noche de pecado y agonía, preferiría sufrir él mismo antes que perder a un ser humano que pudiera ser salvado si se lo espera un poco más.

Quizá no entendamos el cronograma divino. Quizá no captemos cómo funcionan las cosas desde una perspectiva en la que mil años son como un día. Pero sí podemos saber esto: Dios está obrando para rescatar a los seres humanos, y ese rescate alcanzará su clímax en la segunda venida de Jesucristo.

Pedro cree que podemos estar tan seguros de esto como podemos estar seguros de que hay un cielo sobre nosotros y una tierra bajo nuestros pies. Pero la gente olvida esto. Olvidan al Creador. Olvidan la promesa que fue hecha hace mucho tiempo. Y comienzan a dormitar espiritualmente.

El sueño espiritual

¿Cómo puede usted caer dormido espiritualmente? ¿Cómo ocurre? En primer lugar, la rutina, la repetición cotidiana, la agenda semanal comienzan a arrullarlo. Todo esto comienza a capturar nuestra atención.

Lo que le ocurrió al *Herald of Free Enterprise* es instructivo. El cierre y la apertura de las puertas de proa era algo tan rutinario. Los miembros de la tripulación lo habían hecho muchas veces. Pero nadie estuvo alerta. Nadie se aseguró de manera absoluta de que las puertas fueran cerradas.

La rutina nos conduce al sueño. Nos levantamos, vamos al trabajo, volvemos a casa, vemos algo de televisión, hacemos unas pocas llamadas telefónicas, y nos vamos a dormir. Ponemos suficiente alimento en nuestro vientre, y sustentamos nuestra familia. Nos relajamos, los fines de semana quizá asistimos a la iglesia. A menudo tenemos una experiencia religiosa suficiente como para sentirnos conformes, pero no para transformar nuestra vida. Es fácil olvidar lo que es la experiencia religiosa genuina. Dejamos las cosas como vienen. La espiritualidad se torna cada vez menos real, menos importante. La rutina nos duerme.

Jesús nos advierte de este problema. Él dijo:

Como en los días antes del diluvio estaban comiendo y bebiendo, casándose y dando en casamiento, hasta el día en que Noé entró en el arca, y no entendieron hasta que vino el diluvio y se los llevó a todos, así será también la venida del Hijo del Hombre (S. Mateo 24:38, 39).

Nada hay de malo en comer y beber y casarse. Esas son buenas cosas. Son cosas saludables. Pero si eso es todo lo que hacemos, entonces el diluvio, el fin nos tomará por sorpresa. Atrapados en la presión de las cosas pequeñas, los pequeños deberes, nos olvidamos de las cosas grandes, de los grandes deberes. No cerramos las puertas, y el diluvio nos anega.

En el *Herald*, cada uno supuso que alguien más se estaba encargando de hacer lo necesario. Cada uno miraba al otro. Fue fácil dormirse.

Hacemos suposiciones similares en la vida espiritual. Alguien más se encargará de las cosas. La iglesia se encargará. Si mi nombre está en los libros, entonces debo haber hecho lo suficiente para satisfacer los requisitos de Dios. El pastor se encargará; yo cumplo con escuchar sus sermones. Cumplo mi tiempo en la banca de la iglesia. Esto debiera suplir mis necesidades espirituales.

¿Quién se está asegurando de que las puertas están cerradas? Le corresponde a cada individuo. Tenemos que tomar esa responsabilidad. La espiritualidad de otro no nos va a salvar en el día final. Cuando las frígidas aguas del Canal Inglés entraron en el *Herald* y el gran barco se volteó, los pasajeros fueron lanzados en cualquier dirección. Una joven pareja, Susana y Roberto, acababa de ordenar la cena cuando la tragedia ocurrió. Estaban sentados a la mesa, a escasos centímetros el uno del otro. Ambos se aferraron de los muebles cuando el barco cayó de costado. Ambos quedaron atónitos cuando el agua se abalanzó sobre ellos.

Pero Susana fue arrastrada bajo el agua hacia un pasillo. Logró agarrarse de un estante y se aferró de él hasta que fue rescatada.

Roberto no sobrevivió. Susana nunca volvió a verlo.

Así sucedieron las cosas. Otras dos personas estaban sentadas lado a lado en el bar. Una fue lanzada por una ventana y pudo ascender a un nivel seguro; la otra fue triturada en los escombros. Dos personas estaban caminando sobre una cubierta superior. Una se aferró del pasamanos de una escalera y ascendió hacia rescatistas; la otra no le acertó a una barandilla por centímetros y cayó en las profundidades. El destino de cada uno fue decidido en cuestión de segundos.

Algo como lo que pasó en el *Herald of Free Enterprise* va a pasar en la segunda venida de Jesucristo. Él dijo que antes de su regreso, "estarán dos en el campo; el uno será tomado, y el otro será dejado. Dos mujeres estarán moliendo en un molino; la una será tomada, y la otra será dejada" (vers. 40, 41). La siguiente palabra de Jesús fue "velad" (vers. 42).

¿Por qué uno será tomado y el otro dejado? Porque uno estará durmiendo y el otro estará despierto.

"¿Qué? —preguntará alguien— Jesús habló de dos hombres que estarán trabajando en el campo, y de dos mujeres que estarán moliendo con un molino de mano. Esto da a entender que estarán haciendo exactamente lo mismo".

Pero el punto es que uno en cada par está espiritualmente muerto, y el otro está espiritualmente vivo. Cuando Jesús vuelva, uno de cada grupo será salvo, y uno de cada grupo se perderá. Para los perdidos, Jesús viene como un ladrón en la noche. Para los salvados, viene como un Amigo anticipado durante largo tiempo. Y no hay una segunda oportunidad.

Sí, ese día habrá algunos dramas descorazonadores. De repente, el cielo parecerá abrirse, permitiendo que un brillante resplandor de luz caiga sobre la tierra. Algo como un sonido de trompeta resonará en el cielo convulsionado, y ese sonido parecerá circundar la tierra y penetrar cada corazón. Nadie jamás ha visto nada similar a lo que ocurrirá ese día.

Jesús regresa a la tierra como si fuera un satélite brillante rodeado por algo que se asemeja a una galaxia de ángeles. Y la venida de Jesús define el destino eterno de cada uno de los que viven en el planeta Tierra.

Lecciones del *Titanic*

El 15 de abril de 2012, el mundo conmemoró el centésimo aniversario del hundimiento del *Titanic*. Antes de la colisión, no había señales de peligro. El frío y oscuro mar estaba en calma, tan sereno como un cristal bajo el cielo estrellado. Ocurrió una hora antes de la medianoche. Algunas personas se fueron a la cama y cayeron en un sereno sueño. Otros comían en un lujoso comedor o disfrutaban sentados en el salón de primera clase bajo las cubiertas, y escuchaban a una orquesta que tocaba suaves melodías. Estaban totalmente inadvertidos de que les esperaba la más grande tragedia marítima en tiempos de paz, en las heladas aguas del Atlántico Norte. Estaban totalmente ajenos al hecho de que 1.514 personas, dos terceras partes de los que viajaban en el grandioso barco, estarían muertas antes que concluyera la noche.

El gran vapor era una obra maestra de la ingeniería. Tan cuidadosamente había sido planeado y construido, con 16 compartimentos a prueba de agua en un casco de 300 metros (900 pies) de largo, que se dice que el capitán había fanfarroneado que "ni siquiera Dios podría hundirlo".

La tripulación del *Titanic* recibió múltiples advertencias de que había témpanos de hielo en la zona. ¿Estaban tan confiados en las condiciones de su embarcación para resistir cualquier choque que las ignoraron? ¿Estaban tan ocupados con su rutina de tareas que ignoraron los mensajes? ¿Estaban aturdidos o solo adormecidos a causa de lo tarde de la hora? Solo la eternidad lo dirá.

Cualquiera sea el caso, en esa noche estrellada el lujoso buque que llevaba 2.223 pasajeros más la tripulación, golpeó un témpano que abrió una grieta en el casco del barco, dando acceso a 5 de los 16 compartimentos a prueba de agua a las heladas aguas del mar. Y en un tiempo relativamente corto, el "insumergible" *Titanic* se hundió en las frígidas aguas del Atlántico Norte. Yo pienso que es acertado decir que cada persona a bordo del *Titanic* fue sorprendida por lo inesperado. Ninguno esperaba que el barco se hundiera y murieran 1.500 personas.

¿Será que el segundo advenimiento de Jesús va a ser tan sorpresivo para usted como lo fue el hundimiento del *Titanic* para los que iban a bordo? Es importante estar preparado para esa sorpresa de sorpresas. En efecto, es una de las cosas más importantes de la vida. Por favor, no permita que el día más importante de la historia lo encuentre dormido. Por favor, hágase responsable de su propia condición espiritual ahora mismo. Por favor, no suponga que alguien más se encargará de eso. No permita que lo ahogue la rutina. Haga de Dios una prioridad en su vida ahora mismo.

Jesús animó a los hombres y las mujeres con quienes hablaba personalmente a establecer sus prioridades con cuidado. Los exhortó con las palabras: "Buscad primeramente el reino de Dios y su justicia" (S. Mateo 6:33). ¿Es el reino de Dios una prioridad para usted? ¿Es la relación personal con Jesús supremamente importante para usted? ¿Permite que los asuntos temporales releguen a los asuntos eternos, o será que el cielo ocupa el primer lugar en su vida?

Usted no puede tener una relación de salvación con Jesús por casualidad. Tiene que decidir procurarla. Tiene que permitirle a Jesús que entre en su corazón y en su vida. Si usted no le da un "sí" definitivo a Jesús y no hace lo que pueda para fortalecer esa relación, terminará dormido, y no le gustará lo que va a ver cuando despierte.

Es mucho mejor despertar ahora. Es mucho mejor reconocer ahora lo que es más importante, en vez de esperar hasta que sea demasiado tarde.

Capítulo 5

Esperando su regreso

Un filósofo escocés llamado Adam Smith algunas veces quedaba tan absorto en sus reflexiones que se le olvidaba dónde estaba. Un día se metió en un tremendo lío a causa de su ensimismamiento.

Un domingo de mañana salió al patio trasero de su casa vestido con una bata de dormir. Entonces, totalmente concentrado en encontrar la solución de un complicado problema teórico, salió del patio a la calle. Pero no se detuvo ahí. Siguió caminando unos 24 kilómetros (15 millas) hasta el pueblo vecino, completamente ignorante de todo lo que lo rodeaba.

Cuando Smith llegó al pueblo, el fuerte repiqueteo de las campanas de la iglesia penetró algún nivel de su conciencia, así que se dirigió a la iglesia y se sentó en una banca, todavía absorto. Los asistentes regulares de la iglesia estaban atónitos al ver a aquel filósofo de mediana edad cubierto únicamente por un batón blanco.

Adam Smith es solo uno de una larga línea de eruditos y profesores abstraídos, con su cabeza entre las nubes. Nunca parecen estar totalmente presentes, es decir, en el mundo real. Abundan las anécdotas sobre estos personajes.

El matemático David Hilbert era uno de ellos. Como se olvidó ponerse una camisa limpia para una fiesta que su esposa tenía en casa, ella, discretamente, le dijo que subiera al segundo piso y se cambiara la camisa. Él subió, se quitó la camisa, y entonces, habiendo olvidado por qué se estaba desvistiendo, ¡también se quitó los pantalones, se fue a la cama y se durmió!

Tengo que confesar que yo no soy inmune al síndrome de la mente abstraída. Cierta vez mi esposa me pidió que subiera las escaleras a buscar sus lentes. Mientras estaba ahí, noté un libro que me pareció interesante, me puse sus lentes y comencé a leer. Había olvidado por completo por qué había subido.

Los relatos acerca de personas abstraídas son graciosos, pero también generan algunas preguntas interesantes sobre la manera en que vivimos cada día, especialmente la forma en que las personas religiosas viven cada día.

¿Será que nosotros, los que anticipamos el cielo y la segunda venida de Jesús, estamos con la cabeza entre las nubes? ¿Tenemos mentes tan celestiales que no servimos de mucho aquí en la tierra?

¿Somos los que profesamos fe en un Salvador que pronto vendrá algo parecidos a los profesores olvidadizos? ¿Nos encontrarnos fuera de contacto con la realidad? ¿Estaremos tan fuera de lugar como aquel filósofo abstraído sentado en una banca con su bata de dormir?

Si Jesús realmente regresará pronto, ¿cómo deberíamos vivir hoy? Esta es una pregunta importante. ¿Cómo afecta el regreso de Jesús el desarrollo de nuestra vida diaria? ¿Cómo debería ser?

Tales de Mileto, un filósofo griego, arroja algo de luz sobre este tema al mostrarnos dos modos contrastantes de vivir con la cabeza entre las nubes. Platón habló de la primera.

Parece que una tarde, Tales estaba meditando mientras caminaba. Absorto en la contemplación, alzó la vista para estudiar las estrellas, y de pronto cayó en un pozo. Al volver a la realidad, comenzó a gritar, pidiendo ayuda.

Una joven sirvienta vino corriendo, lo sacó y le dijo: "¡Usted está tan ansioso por conocer las cosas del cielo que olvida lo que se encuentra debajo de sus pies!"

Cuando vivimos en un mundo mientras tenemos los pensamientos en otro, podemos enfocarnos tanto en el que está lejano, que olvidamos dónde estamos ahora.

Aristóteles contó una historia diferente acerca de Tales. Contó que la gente algunas veces lo provocaba, y le decían que su sabiduría no le había servido bien, que no lo había ayudado a acumular riquezas. Así que el filósofo decidió demostrar cuán útil podía ser mirar al cielo. Con sus ojos en el cielo, compró todas las prensas de aceitunas en Mileto, donde vivía. Ese año la cosecha fue abundante, y Tales ganó una gran cantidad de dinero con el alquiler de sus prensas de aceitunas. Mirando al cielo, había aprendido lo suficiente sobre el clima como para augurar que ese año habría una abundante cosecha de aceitunas. Habiendo demostrado que tenía razón, vendió las prensas y volvió a la filosofía.

Así que tenemos dos resultados diferentes al observar las estrellas. Por una parte, podemos caer en un pozo. Por otra parte, podemos llegar a ser asombrosamente prósperos. En otras palabras, usted puede perder de vista la realidad, o puede ganar un tipo de sabiduría que lo capacite para vivir más abundantemente.

Vidas de piedad y servicio

¿Qué ganamos con contemplar las estrellas? Más específicamente, ¿en qué nos beneficia vivir a la expectativa del segundo advenimiento de Jesús? ¿Nos caeremos en un pozo o viviremos más abundantemente?

El apóstol Pablo se centró en este asunto en la que es probablemente su primera carta apostólica, la primera carta a la iglesia de Tesalónica, en la provincia romana de Macedonia. La Primera Epístola a los Tesalonicenses está llena de la esperanza del segundo advenimiento de Jesús. También encara francamente formas buenas y malas de esperar el regreso de Jesús. Al hacerlo, se explaya sobre algunos de los mitos que la gente ha tenido, y todavía tiene, sobre lo que significa vivir con "grandes expectativas". Veamos qué conceptos compartió Pablo con los tesalonicenses.

Comenzaremos con 1 Tesalonicenses 4. Antes de un detallado pasaje sobre la esperanza del advenimiento de Jesús, Pablo ofrece un consejo. Exhorta a sus hermanos y hermanas en Jesús a crecer más y más en el amor mutuo, y los anima también a "que procuréis tener tranquilidad, y ocuparos en vuestros negocios, y trabajar con vuestras manos de la manera que os hemos mandado, a fin de que os conduzcáis honradamente para con los de afuera, y no tengáis necesidad de nada" (1 Tesalonicenses 4:11, 12).

¿Qué quiere decir el apóstol cuando exhorta a los tesalonicenses a que trabajen con sus propias manos?

¿Les está recomendando que el trabajo manual sea la norma cristiana? ¿Está implicando que deberíamos ser carpinteros en vez de contadores?

Creo que no. Pablo simplemente está recomendando el trabajo serio y honesto. Punto. Quiere que los creyentes se ocupen en labores útiles, encargándose de las necesidades de sus familias, estableciendo un ejemplo de vidas tranquilas y productivas.

Jesús apuntó en la misma dirección en el sermón sobre la segunda venida que Mateó registró en su Evangelio. Después de describir gráficamente las señales en el mundo político, social, natural y religioso previas a su retorno, Jesús dijo que para ser un siervo sabio y fiel, cada uno debía usar los dones que Dios le ha dado para bendecir a otros y edificar el reino de Dios. Jesús caracterizó a los que toman ventaja de otros y usan mal los dones que Dios les ha dado en este tiempo de espera como "siervos malos" (ver Mateo 24:45-51).

Pablo regresa a este punto en su Segunda Epístola a los Tesalonicenses. Él dice:

> Oímos que algunos de entre vosotros andan desordenadamente, no trabajando en nada, sino entremetiéndose en lo ajeno. A los tales mandamos y exhortamos por nuestro Señor Jesucristo, que trabajando sosegadamente, coman su propio pan. Y vosotros, hermanos, no os canséis de hacer bien (2 Tesalonicenses 3:11-13).

Pablo los llama a una espera activa, no a una ociosidad pasiva. Mientras esperamos, trabajamos. Vivimos vidas de servicio y bondad.

Lo hacemos a fin de revelar el carácter de Dios a un mundo que espera y a un universo que observa.

¿Cómo deberíamos vivir mientras esperamos el retorno de nuestro Señor? Pablo no deja dudas: "La gracia de Dios se ha manifestado para salvación a todos los hombres, enseñándonos que, renunciando a la impiedad y a los deseos mundanos, vivamos en este siglo sobria, justa y piadosamente, aguardando la esperanza bienaventurada y la manifestación gloriosa de nuestro gran Dios y Salvador Jesucristo" (Tito 2:11-13). Pablo está diciendo que nuestras grandes expectativas deberían inspirarnos a vivir y esforzarnos por agradar a nuestro Rey que viene.

Afortunadamente, la iglesia temprana tomó estas enseñanzas en serio. Fueron energizados por sus grandes expectativas. Se ganaron la admiración de los paganos por la manera en que derramaban amor sobre su prójimo. Bendecían a todos los que los rodeaban. Voltearon el mundo al revés.

La esperanza inspira, el amor sirve

Los cristianos fueron esparciendo su nueva fe y conquistando el paganismo romano. ¿Cómo lo hicieron? Eusebio, el historiador de la iglesia temprana, describe una razón para el rápido crecimiento del cristianismo. Eusebio comenta lo que ocurrió durante una plaga que azotó Cesarea en el siglo IV:

> La evidencia del celo y la piedad de los cristianos fueron muy claras para todos los paganos. Por ejemplo, solo ellos daban evidencia práctica de su solidaridad y filantropía en condiciones tan catastróficas. Durante todo el día, algunos de ellos perseveraban diligentemente en realizar los últimos oficios para los muertos, y los sepultaban (porque no se podían contar los muertos, y nadie se preocupaba por ellos). Mientras que otros [cristianos también] reunían en una asamblea a todos los que estaban afligidos por la hambruna en toda la ciudad, y distribuían pan entre ellos.

Cuando esto se supo, las personas glorificaban al Dios de los cristianos, y, convencidos por las obras de ellos, declaraban que los cristianos eran genuinamente piadosos y temerosos de Dios.*

Esperar el regreso de Jesús no significa permanecer ociosos. Los escritores de la Biblia dejan esto bien claro. Si lo que creemos sobre los eventos de los últimos días nos paraliza en vez de energizarnos, entonces algo anda mal. Si estamos más preocupados por salvarnos a nosotros mismos, que en ayudar a otros a ser salvos, algo anda mal. Si nos enfocamos en nosotros en vez de enfocarnos en otros, no estamos esperando de la forma apropiada. Algo queda muy claro cuando usted lee las cartas de Pablo a los Tesalonicenses. El apóstol estaba profundamente preocupado con la calidad de vida en el aquí y ahora. Él mismo se preocupaba por una mejor vida en el presente.

Algunas personas temen que mientras más nos preocupemos por la vida perfecta en el más allá, menos preocupación mostraremos por la calidad de la vida en este mundo. Pablo exhortó a hacer exactamente lo opuesto. La esperanza del segundo advenimiento fluye a través de sus cartas, pero parece inspirarlo a ser más apasionado por infundir las cualidades de Dios en la vida de su pueblo ahora. Resume este pensamiento muy bien en 1 Tesalonicenses 4:3: "La voluntad de Dios es vuestra santificación".

¿Cuál es una buena manera de esperar el retorno de Jesús? Creciendo. Progresando en la vida espiritual. Obteniendo más de la gracia de Dios en nuestros corazones. Eso es santificación. Así que frecuentemente Pablo exhorta a sus amigos a crecer más y más en su amor mutuo. Y en sus cartas es evidente que su amor fluía hacia ellos.

Y Pablo estaba preocupado por la calidad de vida en el presente. Lo demostró al lidiar con un problema moral particular que los tesalonicenses enfrentaban. Los tesalonicenses vivían en una cultura que tornó un vicio —la prostitución— en un rito religioso. La cultura griega y romana de ese tiempo no premiaba mucho la fidelidad sexual. Pablo estaba en Corinto cuando escribió su carta a los tesalonicenses. La diosa patrona de Corinto era Afrodita. Su adoración incluía orgías desenfrenadas. Esta era la cultura en la que vivían los corintios y los tesalonicenses. ¿Cómo debían las personas inmersas en esa cultura vivir, en vista del retorno del Señor Jesucristo?

Pablo desglosa la voluntad de Dios respecto al sexo y la santificación:

> La voluntad de Dios es vuestra santificación; que os apartéis de fornicación; que cada uno de vosotros sepa tener su propia esposa en santidad y honor; no en pasión de concupiscencia, como los gentiles que no conocen a Dios; que ninguno agravie ni engañe en nada a su hermano; porque el Señor es vengador de todo esto, como ya os hemos dicho y testificado (1 Tesalonicenses 4:3-6).

Pablo llamó a los creyentes a comprometerse con una norma moral diferente a las normas morales de sus vecinos, a vivir según normas morales más elevadas. La calidad de su vida dependía de trascender las costumbres del populacho. Pablo los animaba a ejercer dominio propio, a la conducta honorable. Si deseamos que nuestros cuerpos y nuestra sexualidad expresen amor en lugar de lujuria, debemos tener autocontrol. Si hemos de vivir vidas puras mientras esperamos el retorno de nuestro Señor, debemos tener dominio propio.

Actúen honrosamente en asuntos sexuales. Esa fue la norma que Pablo defendió en un tiempo cuando la promiscuidad estaba institucionalizada. Llamó al pueblo a practicar la fidelidad sexual. Lo dijo claramente. Es incorrecto tomar la esposa de otro. Es incorrecto traicionar los vínculos íntimos del matrimonio.

Jesús viene otra vez. ¿Cómo deberíamos vivir? Debemos vivir teniendo en mente la calidad de vida de Dios. No estamos obligados a seguir las normas del mundo que nos rodea. No estamos limitados a las prácticas de la multitud veleidosa. Vemos venir otro reino, y vivimos conforme a sus valores. Vivimos por sus normas. Somos embajadores de Jesús y ciudadanos de su reino.

Pablo exhortó: "Os encargábamos que anduvieseis como es digno de Dios, que os llamó a su reino y gloria" (1 Tesalonicenses 2:12).

Esta es la manera *apropiada* de esperar.

Las pruebas y el regreso de Jesús

Echemos una mirada a una de las características de la buena manera de esperar. Es algo que Pablo enfatizó en sus cartas a los tesalonicenses.

Algunas personas consideran que la esperanza cristiana de ser rescatados desde el cielo es algo así como una muleta. Es para los débiles. Piensan que es un escape, un escapismo. Es una manera de evitar los problemas reales.

Pues bien, vemos algo muy diferente cuando leemos estas epístolas.

En 2 Tesalonicenses 1:3, Pablo felicita a los creyentes de Tesalónica en su fe, la cual dice él, "va creciendo" y en su amor, el cual "abunda para con los demás". Y entonces escribe: "Nos gloriamos de vosotros en las iglesias de Dios, por vuestra paciencia y fe en todas vuestras persecuciones y tribulaciones que soportáis" (vers. 4).

Los tesalonicenses estaban sufriendo persecución. Pablo lo sabía de primera mano. Su predicación había causado una revuelta en la ciudad. Los creyentes lo habían sacado de noche a causa de los riesgos que corría (ver Hechos 17).

¿Cómo les iba a los tesalonicenses en medio de tiempos adversos, oposición y persecución? ¿Cómo les iba a este pueblo que tenía su cabeza en las nubes, que esperaban con tantos deseos el regreso de Jesús? ¿Claudicarían bajo la presión? ¿Intentarían huir, de escapar a un mundo imaginario?

No, ¡ellos permanecieron *firmes*! Mostraron que tenían columna vertebral. De hecho, no solo resistieron en tiempos adversos, sino que su fe y su amor *sobreabundaron* en tiempos difíciles. Llegaron a ser un modelo tal de fuerza paciente en la tribulación que Pablo no podía dejar de jactarse de ellos ante las otras iglesias.

Una gran esperanza, el tipo apropiado de esperanza, nos puede ayudar a permanecer firmes en el peor de los tiempos. Nos capacita para enfrentar con confianza lo que de otra manera podría intimidarnos.

La esperanza en el retorno de nuestro fiel Amigo Jesús puede darnos fortaleza interior. Nos capacita para permanecer firmes. Ese es el tema que Pablo desarrolla a través de estas epístolas. El retorno del Señor nos inspira con esperanza mientras enfrentamos los desafíos de la vida. Cuando las dificultades nos rodean, podemos ver más allá, de lo que *es* a lo que *será*. La enfermedad, el desastre, y la muerte no tendrán la última palabra. Jesús la tendrá. Un día él descenderá gloriosamente desde los cielos y las penas de esta vida terminarán.

Pablo dice a los tesalonicenses: "[Quiero] confirmaros y exhortaros respecto a vuestra fe, a fin de que nadie se inquiete por estas tribulaciones; porque vosotros mismos sabéis que para esto estamos puestos" (1 Tesalonicenses 3:2, 3).

No tenemos que ser sacudidos por los tiempos difíciles, dice Pablo. Quizá tengamos que resistir la adversidad por causa de Jesús, pero eso nos capacita para tornarnos en sus testigos. Formamos parte de una gran causa. Tenemos un gran destino. Nos aproximamos a una cita con el Rey de reyes. Por lo tanto, "permaneced firmes", exhorta Pablo. Esa es la manera apropiada de esperar. Resulta cuando se tiene una esperanza auténtica en nuestros corazones.

Como música en nuestros corazones

A mediados de la década de 1960, un músico joven y brillante se estaba convirtiendo en el más destacado pianista en la China. Liu Shih-kun obtuvo el segundo lugar en la Competencia Tchaikovsky en Moscú a la edad de 19 años. Ya había ganado una reputación mundial.

Entonces la Revolución Cultural barrió con el país. Todo lo que fuera occidental debía ser condenado. Tenía que renunciarse a todo lo que tuviera un atisbo de "clase alta".

Pero Liu no pudo concebir la idea de abandonar la música que amaba desde la infancia. Así que fue arrestado como "enemigo del pueblo" y encarcelado.

Liu soportó palizas inmisericordes. Fue aislado totalmente, confinado en una diminuta celda. Excepto las enseñanzas de Mao, no tuvo libros para leer ni papel para escribir. Y lo más importante de todo para él: no tenía piano. Su música le había sido quitada.

Permaneció en prisión durante seis largos años. Probablemente hubiera quedado allí muchos años más, si Richard Nixon no hubiera hecho su histórica visita a la China. Un nuevo espíritu de mutuo respeto comenzó a florecer entre las dos naciones. Y en esa atmósfera, tener a un pianista de renombre en la cárcel se convirtió en una vergüenza para la República del Pueblo. Así que Liu fue liberado de la prisión temporalmente, y se le pidió que tocara en un concierto en Pekín con la Orquesta Filarmónica de Filadelfia. Los dirigentes comunistas no entendían que no había manera que un músico pudiera tocar bien después de seis años sin un piano. Los músicos tienen que practicar cada día, o su destreza pronto desaparece.

El día del concierto llegó. El frágil prisionero caminó hacia el escenario y se inclinó ante la orquesta. Ajustó su asiento ante el gran piano de cola y colocó las yemas de sus dedos suavemente sobre las blancas teclas, y la música comenzó. Y asombrosamente, Liu Shih-kun tocó de un modo impecable, brillante. Los visitantes occidentales que conocían su historia estaban atónitos. Y después de su liberación definitiva, continuó tocando con una habilidad genial, deslizando sus manos sobre las teclas como si nunca hubiera dejado de tocar. Y Liu Shih-kun fue capaz de reanudar la carrera que había sido interrumpida tan trágicamente.

Liu, como usted ve, había guardado un secreto de los guardias rojos durante sus años de cárcel. Le habían quitado su música. Le habían negado papel para que no pudiera hacer ninguna anotación musical. Pero no pudieron quitarle su mente, la que todavía ardía llena de sentimiento y esperanza.

Y Liu Shih-kun practicó cada día de los largos años que pasó en esa pequeña celda. Descansaba sus dedos ligeramente sobre una repisa desnuda de cemento y tocaba sus amadas piezas de piano una y otra vez. Su imaginación vívida y disciplinada creó un teclado que nadie más podía ver. Es por eso que estuvo listo el día del concierto, que pudo hacer la transición entre la penumbra de su celda y el brillo de las candilejas y pudo tocar con tanta destreza.

¿Fue Liu otro profesor abstraído, absorto en sus teclas imaginarias? ¿Estaba escapando de la realidad? Yo creo que no. El amor por la música encendía su alma. Mantuvo viva su esperanza de algún día volver a tocar en un gran piano de cola, con una orquesta real, en un concierto real. Y esa esperanza obtuvo resultados.

La esperanza del glorioso retorno de Jesús puede sostenernos, incluso cuando todo nos es arrebatado. Aun en los peores tiempos. Nos anima a perseverar en la práctica de nuestra fe. Nos mantiene trabajando, serena, fiel y productivamente.

La llegada de un mundo mejor domina nuestros pensamientos. Incluso si los principios divinos no son recompensados en el presente, continuamos creyendo en ellos. Todavía escuchamos la música de la gracia, el amor y la fe. Podemos seguir creciendo hacia la calidad de vida que Dios nos ofrece. Podemos mantenernos firmes. Podemos soportar la pequeña y oscura celda de nuestra prisión porque sabemos que un día Dios nos traerá a la luz de un escenario glorioso. Algún día las notas que hemos practicado serán interpretadas por una orquesta completa, con el canto de los ángeles y el sonido de las trompetas celestiales y una melodía gloriosa que llenará el cielo entero.

¿Está usted viviendo hoy productivamente? ¿Está usted viviendo la calidad de vida de Dios? ¿Se mantiene firme? ¿Está esperando de la manera apropiada?

Resolvamos ahora mantener viva en nuestro corazón la música del cielo. Resolvamos ser alumbrados por la esperanza auténtica.

---

* Eusebio, *Historia eclesiástica,* 9.8. pp. 13, 14.

Capítulo 6

Dos resurrecciones

Fue una de las últimas ceremonias imponentes del Imperio Soviético: el funeral de Leónidas Brezhnev. Todos los generales estaban presentes. Una escolta de lujo marcaba el paso. Desfilaban las grandes máquinas de guerra. Había estandartes y banderas.

Todo indicaba la intención de demostrar al mundo cómo este régimen comunista podía honrar a su jefe de Estado. Todo había sido escenificado para dar la impresión de que la Unión Soviética permanecería para siempre. Todo iba conforme el libreto... excepto un pequeño gesto.

Sucedió cuando la viuda de Brezhnev caminó hacia el imponente ataúd. Ella se detuvo un momento, y entonces se inclinó e hizo la señal de la cruz sobre el pecho de su esposo.

Los ejércitos poderosos y las ideologías pueden impresionarnos. Pero cuando lo que queremos es una esperanza que trascienda el sepulcro, tenemos que buscarla en otro lugar.

Esperanza más allá del sepulcro

Hoy día, la gente busca esta esperanza en todo tipo de lugar. Acuden a las religiones orientales. Piensan que quizás al hacerse uno con el cosmos se puede hallar un camino, o que quizá la reencarnación sea la respuesta.

Acuden al ocultismo. Quizá puedan aprender acerca del "otro lado" por medio del contacto con los muertos.

Están buscando en la ciencia. Algunos creen que la criogenia ofrece esperanza —que alguien congele nuestros cuerpos, y sean así preservados hasta que la ciencia descubra la manera de hacernos vivir por siempre.

Pero sobre todo, están buscando en las "experiencias cercanas a la muerte". Más y más personas que quieren alguna seguridad sobre nuestra última jornada están buscando a las personas que han tenido una experiencia cercana a la muerte, y dicen que ellas pueden darnos un vistazo de primera mano sobre la vida más allá del sepulcro.

No tienen que ir muy lejos. Hay muchas personas que aseguran tener esa experiencia de primera mano, y ahora están ansiosas de decirle al mundo lo que han aprendido. En la popular obra *Saved by the Light* [Salvado por la luz],[1] Danion Brinkley asegura compartir consejos misteriosos que recibió de trece seres luminosos. Y los libros *Life After Death* [Vida después de la muerte],[2] *Recollections of Death* [Remembranzas de la muerte][3] y *Closer to the Light* [Más cerca de la luz][4] ofrecen revelaciones similares. Pero pocas personas han ganado la popularidad y la influencia de Betty Eadie.

Betty dice que durante una experiencia cercana a la muerte, ella fue al cielo y conoció a Jesús, quien le enseñó mucha información nueva. Muchas personas han querido enterarse de lo que Betty vio en el cielo. Su libro *Embraced by the Light* [Abrazada por la luz],[5] en el que hace una crónica de sus experiencias, permaneció en la lista de *bestsellers* del *New York Times* durante un año y medio después de su publicación. Desde entonces ha sido traducido a 38 idiomas y ha vendido trece millones de ejemplares en 130 países.

"Jesús —dice Betty— es un benevolente Ser de luz". Ella dice que algunas veces no podía distinguir dónde terminaba su aura de luz y comenzaba la de Jesús, algo que evoca el tema de la Nueva Era de fundirse o fusionarse con Dios. Ella también concuerda con la Nueva Era cuando habla de haber sido siempre parte de Jesús. Y en un pasaje que podría producir un escalofrío místico a alguien fascinado por la Nueva Era, Betty asegura que durante su experiencia cercana a la muerte posó su vista sobre una rosa y "sentí a Dios en la planta, en mí, su amor derramándose dentro de nosotros. Éramos uno solo".[6] Si "todo es uno", no hay alguien a quien adorar. La idea de que Dios está en todo y que todo es Dios, es un eco del budismo y el hinduismo.

A través de su libro, Betty repite la idea de que antes que naciéramos en esta tierra, existimos como almas premortales. Y dice que cuando ella era un espíritu pre-encarnado, presenció la creación, y asegura que ahora su alma progresa eternamente. Estas creencias parecen venir del mormonismo de su juventud.

Betty describe a un Jesús amoroso que la hizo sentir digna de estar con él y abrazarlo, que su amor incondicional por ella la abrumó. Esta parte de su historia concuerda con la descripción de Jesús que encontramos en el Nuevo Testamento. Pero Betty dijo muchas otras cosas que no concuerdan con la Biblia. Por ejemplo, basada en su experiencia cercana a la muerte, concluyó que Jesús es un Ser completamente separado del Padre. Sin embargo, la Biblia enseña que aunque Jesús es un Ser distinto y separado del Padre, son uno en propósito y carácter. Son coiguales y coeternos.

Betty concluyó que debía dejar de sentir remordimiento por las cosas malas que había hecho, porque Jesús no haría nada que la ofendiera. En otras palabras, nadie necesita arrepentirse de los pecados que ha cometido.

Betty concluyó que los seres humanos no son criaturas pecadoras por naturaleza. También llegó a creer que "seres espirituales" humanos asistieron a Dios en la creación y que, a pesar de las apariencias, no hay tragedias en este mundo. Es interesante e importante que la salvación por gracia por medio de la fe, el juicio final y la segunda venida de Jesús brillan por su ausencia en sus escritos.

La experiencia cercana a la muerte de Betty Eadie ocurrió cerca de veinte años antes de que su libro fuera publicado. Ella se niega a entregar sus expedientes médicos, y los médicos que la atendieron cuando casi moría ya han muerto, así que no hay mucho que podamos verificar sobre lo que realmente le ocurrió. Pero sí podemos *analizar* lo que ella asegura que Jesús le dijo, y cuando lo hacemos, comenzamos a albergar serios cuestionamientos. Una gran parte de lo que Betty Eadie escribe guarda más relación con lo que otros han dicho sobre las experiencias cercanas a la muerte que con la Biblia. Esto es, concuerda con los mensajes que otras personas han supuestamente recibido a través de las experiencias cercanas a la muerte, mejor que con las enseñanzas de las Escrituras.

La religión de los resucitados

Todas las afirmaciones que hacen las personas respecto de haber gozado una maravillosa experiencia al "otro lado", han creado lo que los investigadores llaman "la religión de los resucitados". Una escena del libro *Heading Toward Omega* [Avanzando hacia Omega],[7] revela una de las doctrinas clave de esta religión. Un ser celestial que aparece durante una experiencia cercana a la muerte consuela a una mujer ansiosa al decirle que "no hay pecados". Por supuesto, cuando no hay pecado, no hay juicio divino ni necesidad de salvación. Los creyentes solo "fluyen" hacia la luz y el amor.

La religión de los resucitados no se enfoca en Dios tanto como lo hace en el "potencial ilimitado" que tienen los seres humanos. Betty Eadie habla de haber experimentado omnisciencia durante su experiencia cercana a la muerte, y asegura que ahora sus pensamientos tienen un "tremendo poder" para crear la realidad.

Al escribir para *Christianity Today,* Douglas Groothuis concluyó que el fenómeno de las experiencias cercanas a la muerte a menudo se conforma a las creencias de la Nueva Era, que una vez que somos librados del temor a la muerte y advertimos nuestro propio poder, los seres humanos pueden acceder a una nueva existencia gloriosa.

En otras palabras, cuando se habla de cruzar al otro lado del río, la religión de los resucitados pone a todos en el mismo barco. No hay juicio ni cuestionamiento alguno sobre la responsabilidad personal. Todos vamos rumbo a la misma vida futura. Es una suerte de eternidad sin valores. Todos iremos al mismo gran remanso de luz en algún lugar "allá arriba".

La Biblia presenta un cuadro totalmente diferente. El apóstol Pablo expone la enseñanza bíblica acerca del juicio y la vida futura.

- "Está establecido para los hombres que mueran una sola vez, y después de esto el juicio" (Hebreos 9:27).
- "Cada uno de nosotros dará a Dios cuenta de sí" (Romanos 14:12).
- "Es necesario que todos nosotros comparezcamos ante el tribunal de Cristo, para que cada uno reciba según lo que haya hecho mientras estaba en el cuerpo, sea bueno o sea malo" (2 Corintios 5:10).

¿Me permite sugerir que hay mucho más sobre la vida futura que lo que las experiencias cercanas a la muerte nos están diciendo? Hay una verdad vital e importante que está siendo soslayada, e incluso muchos cristianos la han pasado por alto. Veamos lo que la Biblia tiene que decirnos acerca de la vida después de la vida.

Dos resurrecciones

Quizá nos sorprenda, pero la Escritura no habla de una sola resurrección al fin del tiempo, sino de *dos*. Así es, habrá dos resurrecciones: dos resurrecciones que son inmensamente diferentes. De hecho, son resurrecciones de personas que se dirigen en sentidos contrarios, si puede concebir tal cosa. Jesús mismo describió estas dos resurrecciones totalmente diferentes. "Vendrá hora —dijo él— cuando todos los que están en los sepulcros oirán su voz; y los que hicieron lo bueno, saldrán a resurrección de vida; mas los que hicieron lo malo, a resurrección de condenación" (S. Juan 5:28, 29). De cuál resurrección participamos es totalmente crucial.

Veamos lo que la declaración de Juan nos dice sobre la primera resurrección. En primer lugar, notemos que se trata de un acontecimiento espectacular. Pablo lo describe en 1 Tesalonicenses:

El Señor mismo con voz de mando, con voz de arcángel, y con trompeta de Dios, descenderá del cielo; y los muertos en Cristo resucitarán primero. Luego nosotros los que vivimos, los que hayamos quedado, seremos arrebatados juntamente con ellos en las nubes para recibir al Señor en el aire, y así estaremos siempre con el Señor (4:16, 17).

"Los muertos en Cristo resucitarán primero". Esta es la primera resurrección. Ocurre en la segunda venida de Cristo. La Biblia nos dice que un día Jesús va a descender del cielo: el mismo Jesús que ministró en Galilea hace dos mil años. El retorno de Jesús no es un evento místico. Un Jesús muy real regresará. El mismo Jesús que ascendió al cielo en un glorioso cuerpo inmortal, retornará gloriosamente en un cuerpo inmortal (ver Hechos 1:9-11; S. Mateo 16:27). Su advenimiento será visible. Cada ojo lo verá venir (S. Mateo 24:30; Apocalipsis 1:7). Su advenimiento será un acontecimiento audible, no un regreso silencioso. No solo cada ojo verá su advenimiento, sino que cada oído lo escuchará (S. Mateo 24:31; 1 Tesalonicenses 4:16, 17). "Vendrá nuestro Dios, y no callará; fuego consumirá delante de él, y tempestad poderosa le rodeará" (Salmo 50:3).

En ese momento los que murieron en Jesús, aquellos que desarrollaron una relación con él, se despertarán a una gloriosa eternidad con él. El clarín de la trompeta de Dios penetrará en las tumbas, y el mismo Creador que en el principio diseñó la vida en este planeta obrará nuevamente, y convertirá el polvo y los esqueletos en seres humanos vivientes, recreará las mentes y moldeará las personalidades. Y entonces los resucitados se unen con los creyentes que aún viven, y, junto con Jesús, ascienden al cielo en sus cuerpos gloriosos e inmortales.

El asombroso viaje comienza para todos los creyentes, vivos o muertos, con una dramática transformación en ocasión del retorno de nuestro Señor. Pablo describe exactamente lo que ocurrirá a aquellos que fueron fieles a Jesús: "No todos dormiremos; pero todos seremos transformados, en un momento, en un abrir y cerrar de ojos, a la final trompeta; porque se tocará la trompeta, y los muertos serán resucitados incorruptibles, y nosotros seremos transformados" (1 Corintios 15:51, 52).

Pablo nos dice que en ese instante se les conceder la inmortalidad a los creyentes. La muerte es sorbida en victoria. Los que creyeron en Jesús reciben cuerpos nuevos y perfectos, corazones nuevos y mentes nuevas. Nunca más la enfermedad, ni la debilidad ni la decadencia volverán a tocar nuestros cuerpos.

En la Epístola a los Filipenses, Pablo se adelanta a explicar lo que experimentarán aquellos que con impaciencia esperan a su Salvador y cuya ciudadanía está en el cielo. Él dice que Jesucristo "transformará el cuerpo de la humillación nuestra, para que sea semejante al cuerpo de la gloria suya" (Filipenses 3:21).

Los creyentes tendrán vidas muy reales con Jesús en cuerpos muy reales, cuerpos gloriosos. La Biblia no describe ningún viaje místico o etéreo a través de un largo corredor hasta el "otro lado" para ser allí abrazados por un ser de luz. Revela el regreso de un Jesús muy real. Hay una resurrección real. Recibimos cuerpos nuevos e inmortales, y ascendemos al cielo con nuestro Señor. Esto es lo que ocurre en la primera resurrección, la resurrección a la vida eterna.

Pero Pablo es también muy claro acerca de la segunda resurrección. Esta ocurre después del milenio, los mil años durante los cuales los justos están en el cielo con Jesús. La segunda resurrección es llamada "resurrección de condenación" porque es cuando todos los malvados deben enfrentar el juicio de Dios. Apocalipsis 20 nos habla de esta resurrección:

> Pero los otros muertos no volvieron a vivir hasta que se cumplieron mil años... Y el mar entregó los muertos que había en él; y la muerte y el Hades entregaron los muertos que había en ellos; y fueron juzgados cada uno según sus obras... Y el que no se halló inscrito en el libro de la vida fue lanzado al lago de fuego (Apocalipsis 20:5, 13, 15).

Esta es la tragedia final de la tierra. Es un despertar, pero no es uno que termina en vida eterna. Es un levantamiento del sueño que solo conduce a la muerte eterna. Es difícil para nosotros imaginar la tristeza de aquellos que mirarán a Dios en toda su gloria y reconocerán que nunca, nunca vivirán con él en el cielo. No gozarán la eternidad. ¡Qué inexpresable angustia causará esta percepción! No es de extrañar que la Escritura se refiera a que habrá "lloro y crujir de dientes".

Dos resurrecciones. Dos destinos. Dos eternidades inmensamente diferentes.

Pero aquí hay un punto importante: podemos evitar la segunda resurrección. Nadie tiene que terminar en el lago de fuego. Nadie tiene que experimentar la aniquilación eterna.

Podemos evitarla gracias a lo que Dios ha hecho. El Padre no es un juez indiferente sentado en su trono que sin compunción alguna envía a las personas a un destino u otro. Él no determina arbitrariamente los destinos humanos. No, el Padre hace todo lo posible por rescatarnos. Veamos su apelación en Ezequiel. Es Dios mismo quien habla por medio del profeta:

> Yo os juzgaré a cada uno según sus caminos, oh casa de Israel, dice Jehová el Señor. Convertíos, y apartaos de todas vuestras transgresiones, y no os será la iniquidad causa de ruina. Echad de vosotros todas vuestras transgresiones con que habéis pecado, y haceos un corazón nuevo y un espíritu nuevo. ¿Por qué moriréis?... porque no quiero la muerte del que muere, dice Jehová el Señor; convertíos, pues, y viviréis (Ezequiel 18:30–32).

Las dos resurrecciones envían a los seres humanos en direcciones opuestas. Pero Dios dice: "Nadie tiene que morir. ¿Por qué has de elegir la muerte? ¡Arrepiéntete y vive!"

Si aceptamos la responsabilidad por nuestras ofensas, si recibimos el perdón que Jesús ofrece gracias a la cruz, si nos arrepentimos, entonces podemos estar seguros de estar en la primera resurrección.

Esta es la promesa: "El que venciere, no sufrirá daño de la segunda muerte" (Apocalipsis 2:11). Todos podemos evitar el carácter definitivo de la segunda muerte. Todos podemos ser vencedores. ¿Por qué? Como dice la Escritura, vencemos por la sangre del Cordero. Vencemos porque Jesús ha derrotado el pecado y el poder del mal en la cruz. Vencemos porque encontramos la salvación y la aceptación por medio del sacrificio que Jesús realizó. Es así como encontramos la vida eterna.

La gran esperanza

¿Se da cuenta entonces que la Biblia ofrece a cada ser humano una gran esperanza, una esperanza maravillosa? Es muy diferente de la esperanza vaga ofrecida por las experiencias cercanas a la muerte y la religión de los resucitados. Lo que la Biblia promete es más que una mera existencia como "un haz de luz". Ofrece la vida verdadera con el Dios verdadero. Dice que tendremos un encuentro cara a cara. Describe un paraíso con la presencia de Jesús.

La esperanza que presentan las Escrituras no carece de valores. No, nos considera seres morales, seres humanos responsables. La esperanza de las Escrituras nos llama a cuentas. La esperanza de las Escrituras nos pide tratar francamente con el pecado. ¡La esperanza de las Escrituras pasa por la cruz! Esta es la gran diferencia. Por eso la viuda de Leonid Brezhnev hizo aquella señal de la cruz en el pecho de su esposo. En medio de toda la pompa y ceremonia del Imperio Soviético, ella prefirió la esperanza ofrecida por un Carpintero de Nazaret. Su gesto no concordaba con el régimen ateo que la rodeaba. Pero ella tenía que aferrarse de algo más sólido: Alguien más sólido que lo que el comunismo podía ofrecer.

Podemos tener confianza en una vida futura porque podemos confiar en Jesús. Por medio de Jesús, podemos tratar con la culpa confiadamente. Podemos estar seguros de que el Dios santo nos ha aceptado. Podemos tener confianza de que tendremos una vida futura porque podemos confiar en que pertenecemos a Jesús. Esta es la clase de esperanza a la que podemos aferrarnos. Es una esperanza que nos sostendrá durante los tiempos adversos. Esta es la clase de esperanza que necesitamos.

Déjeme contarle de unas personas que tuvieron que afrontar la muerte en las circunstancias más adversas.

Esperanza real para necesidades reales

En agosto de 1900, durante la rebelión *Boxer* en China, Lizzie Atwater, una misionera y madre joven, tuvo que enfrentar la perspectiva de una muerte brutal a manos de fanáticos *boxer* que habían jurado vengarse de todos los extranjeros. Tuvo que esperar en agonizante suspenso, con un bebé acurrucado en su pecho, mientras las bandas de merodeadores rodeaban su edificio.

Pero en este momento de terror, Lizzie encontró un hilo de esperanza. Esto es lo que escribió a su hermana y su familia poco antes de su muerte:

> Durante mucho tiempo he esperado ver sus queridos rostros, pero temo que no nos encontremos en la tierra... me preparo para el final callada y calmadamente. El Señor está maravillosamente cerca y no me fallará. Estaba muy agitada y emocionada mientras había alguna posibilidad de vida, pero Dios me ha quitado estos sentimientos, y ahora solo oro por gracia para enfrentar con valentía el terrible final. ¡El dolor pronto habrá terminado y ah, la dulzura de la bienvenida en el cielo![8]

En enero de 1956, Roj Youderian fue asesinado mientras trataba de compartir el evangelio con los indios aucas en la selva de Ecuador. Después que encontraron su cuerpo, su esposa Bárbara escribió en su diario privado: "Hace dos días Dios me dio este versículo del Salmo 48: 'Este Dios es Dios nuestro eternamente y para siempre; él nos guiará aun más allá de la muerte'" (Salmo 48:14).

En noviembre de 1964, en la República del Congo, la misionera Lois Carlson tuvo que enfrentar la muerte de su esposo mientras se comunicaba con él por medio de un radio de onda corta. El hospital del

Dr. Paul Carlson había sido invadido por los nacionalistas Simba. De vez en cuando, él podía enviarle un breve mensaje. En uno de estos le dijo a Lois: "Sé que estoy listo para encontrarme con mi Señor, pero mi preocupación por ti hace esto más difícil. Espero representar a Cristo como su testigo".

Cuando encontraron el cuerpo del Dr. Carlson en el hospital, había un ejemplar del Nuevo Testamento en la bolsa de su chaqueta. En sus páginas, el doctor había escrito la fecha —un día antes de ser balaceado—y había añadido una sola palabra: "Paz".

Paz al enfrentar las peores circunstancias. Paz al enfrentar la muerte. Las personas pueden tener paz frente a la muerte solo cuando tienen un profundo sentido de seguridad, una profunda confianza en el único que estará con ellas en la hora del fin.

Las personas tienen paz cuando saben cuál resurrección experimentarán. Tienen paz cuando saben que van a ser despertadas para ver a Jesús viniendo sobre las nubes, iluminando el cielo. Tienen paz cuando saben que serán transformadas. Tienen paz cuando saben que nunca más experimentarán angustia, ni dolor ni muerte. Tienen paz cuando saben que pasarán la eternidad con Jesús.

¿Tiene usted esa seguridad, o simplemente va a la deriva hacia una vida futura indefinida? ¿Sabe usted cual mano lo sostendrá, o se conforma con ser parte de un haz de luz en algún lugar del cosmos?

Dios quiere que usted viva. Él ha hecho todo con tal de que usted pueda evitar la segunda resurrección, la resurrección de condenación. Pero debe alejarse de esa resurrección, y acercarse a la otra. Dios nos llama al arrepentimiento y la fe; usted necesita responder a su llamado. Tiene que tomar en serio su relación con él.

¿Cuál será su suerte: la vida eterna o la muerte sin final?

¿Cuál resurrección va usted a escoger?

---

[1] Dannion Brinkley with Paul Perry, *Saved by the Light* (Nueva York: Villard Books, 1994).

[2] Raymond A. Moody Jr., *Life After Life: The Investigation of a Phenomenon—Survival of Bodily Death* (Atlanta, Georgia: Mockingbird Books, 1975).

[3] Michael Sabom, *Recollections of Death: A Medical Investigation* (Nueva York: Harper & Row, 1981).

[4] Melvin Morse with Paul Perry, *Closer to the Light: Learning From Children's Near Death Experiences* (Nueva York: Villard Books, 1990).

[5] Betty J. Eadie, *Embraced by the Light* (Placerville, California: Gold Leaf Press, 1992).

[6] Eadie, *Embraced by the Light,* p. 81.

[7] Kenneth Ring, *Heading Toward Omega: In Search of the Meaning of the Near-Death Experience* (Nueva York: Morrow, 1984).

[8] John R. Hykes, "The Martyr Missionaries in China," *Missionary Review of the World,* nueva serie, tomo 14, no. 2 (Febrero 1901): pp. 89, 90.

Capítulo 7

Listos para el encuentro con Jesús

Centenares de personas han sido enterradas en el Monte de los Olivos, justo a las afueras del muro oriental de la Vieja Jerusalén. ¿Por qué? Muchos judíos creen que el Mesías aparecerá allí cuando venga, y que entrará a Jerusalén por la Puerta Oriental (conocida también como la Puerta Dorada) para comenzar su reino triunfal. Las leyendas cuentan que la *Shekina* —a presencia divina—solía entrar a la ciudad por esta puerta, y que esto volverá a suceder cuando el Mesías venga.

La Puerta Oriental es la única de ocho puertas principales en Jerusalén que permanece sellada. Por causa de que los judíos esperan que su mesías entre por esta puerta, los turcos otomanos, cuando controlaban la ciudad, sellaron la puerta con enormes piedras en el año 1541. Después, cuando los musulmanes controlaban la ciudad, por creer que el mesías judío no pisaría un cementerio musulmán, éstos añadieron otra capa de protección al convertir el terreno frente a la puerta en un cementerio.

Jesús hizo su entrada triunfal a la ciudad de Jerusalén por la Puerta Oriental, y muchos cristianos creen que allí regresará cuando aparezca en su gloria a la segunda venida. Esta es otra razón por la que la colina aledaña está copada de tumbas. Aparentemente, muchas personas desean ser las primeras en resucitar.

La esperanza acariciada por los que allí yacen es una esperanza compartida en todo el mundo. Todos deseamos encontrar alguna manera de trascender la muerte. Por eso tantas personas preguntan: "¿Podremos estar seguros de participar en la resurrección? ¿Cómo saber que no nos quedaremos afuera?"

Durante miles de años, las religiones han peleado —a veces violentamente— por la ciudad de Jerusalén. Es un lugar conectado por la historia a las esperanzas y los sueños de la gente. Sus antiguos lugares todavía hablan de glorias pasadas y un mejor mañana. Muchos creen que esta ciudad ocupará el lugar central cuando el Mesías regrese en gloria. Esperan que establezca aquí la sede de su reino sobre la tierra. Esperan que traiga con él un milenio de paz. Esperan que Jerusalén se convierta una vez más en un lugar donde el pueblo de Dios encuentre seguridad. Pero también esperan que antes que esto ocurra, el anticristo entrará en un templo judío que ha sido reedificado sobre las ruinas del antiguo templo de Jerusalén.

Muchas personas están confundidas acerca de lo que la Biblia en realidad enseña acerca del tiempo del fin. Por esa razón no captan el significado de la segunda venida de Jesucristo. Por causa de enfocarse en el lugar equivocado y el asunto equivocado, es muy probable que no entiendan dónde se librará la batalla final y de qué se trata.

Permítame señalarle una de las descripciones más claras que Jesús nos diera sobre la naturaleza de su retorno. Mateo registra sus palabras:

> Entonces aparecerá la señal del Hijo del Hombre en el cielo; y entonces lamentarán todas las tribus de la tierra, y verán al Hijo del Hombre viniendo sobre las nubes del cielo, con poder y gran gloria. Y enviará sus ángeles con gran voz de trompeta, y juntarán a sus escogidos, de los cuatro vientos, desde un extremo del cielo hasta el otro (S. Mateo 24:30, 31).

Estos versículos describen la segunda venida. Es un suceso glorioso. Es un suceso que será el *eje* de la historia. Entre otras cosas, dividirá a la humanidad en dos grupos: aquellos que se lamentarán, y aquellos que se reúnen para unirse a Jesús. La parábola del trigo y la cizaña concluye con un cuadro verbal de esta división. Cuando los obreros le dicen a su jefe que alguien ha plantado cizaña en sus campos de trigo, éste dice:

"Dejad crecer juntamente lo uno y lo otro hasta la siega; y al tiempo de la siega yo diré a los segadores: Recoged primero la cizaña, y atadla en manojos para quemarla; pero recoged el trigo en mi granero" (S. Mateo 13:30).

El significado de esta parábola es claro. Cuando los justos se unan con Jesús, las personas no salvadas de este mundo serán consumidas por el resplandor de su venida (2 Tesalonicenses 1:7-12; Hebreos 12:29).

He aquí otra descripción del fin de la historia. Jesús lo explicó así:

Cuando el Hijo del Hombre venga en su gloria, y todos los santos ángeles con él, entonces se sentará en su trono de gloria, y serán reunidas delante de él todas las naciones; y apartará los unos de los otros, como aparta el pastor las ovejas de los cabritos (S. Mateo 25:31, 32).

Aquí se describe el juicio que ocurrirá a la venida de Cristo. Las "ovejas" —aquellos que se entregaron a Jesús— son recibidos en el reino. Pero los "cabritos" —la gente que han escogido rechazar a Dios y la vida que él ofrece— pararán en el lago de fuego, donde serán completamente consumidos y eliminados para siempre del universo. Y cada ser humano decide si será una oveja o un cabrito.

La segunda venida de Cristo le da un nuevo significado al concepto de un "evento público". Todo ser humano que esté vivo cuando Jesús aparezca en gloria en los cielos presenciará su venida. "Porque el Hijo del Hombre vendrá en la gloria de su Padre con sus ángeles, y entonces pagará a cada uno conforme a sus obras" (S. Mateo 16:27). ¿Se imagina la magnitud de un evento tal? Juan el revelador nos dice: "He aquí que viene con las nubes, y *todo ojo le verá*" (Apocalipsis 1:7, la cursiva es nuestra).

Tan inesperado como un ladrón

Hay otro aspecto de la segunda venida; otra verdad importante respecto del regreso de Jesús. Aunque él vendrá en gloria como Señor de señores y Rey de reyes, para muchas personas su venida será tan inesperada como la visita de un ladrón en la noche. Jesús advirtió:

> Velad, pues, porque no sabéis a qué hora ha de venir vuestro Señor. Pero sabed esto, que si el padre de familia supiese a qué hora el ladrón habría de venir, velaría, y no dejaría minar su casa. Por tanto, también vosotros estad preparados; porque el Hijo del Hombre vendrá a la hora que no pensáis (S. Mateo 24:42-44).

Pedro también compara la venida de Cristo con la de un ladrón: "Pero el día del Señor vendrá como ladrón en la noche" (2 Pedro 3:10). Muchas personas han entendido mal el que se diga que la venida de Jesús será como la de un ladrón. Note con cuidado lo que el texto dice. La venida de Jesús como "un ladrón en la noche" no significa que vendrá en secreto. No. Él vendrá de pronto, inesperadamente. Pero cuando venga, "los cielos pasarán con grande estruendo, y los elementos ardiendo serán deshechos, y la tierra y las obras que en ella hay serán quemadas" (vers. 10). ¡Es obvio que esto no se refiere a una venida secreta!

¿Qué quiere decir Pedro con eso de "ladrón en la noche"? ¿Vendrá Jesús al planeta subrepticiamente? Si este evento es tan glorioso, si la tierra y el cielo serán transformados, ¿por qué se presenta a Jesús como un ladrón en la noche?

Jesús mismo nos ha dado una pista. Él nos muestra que esta metáfora de un ladrón no se relaciona con la *forma* de su regreso, sino con su *ocasión*. Como un ladrón, él vendrá repentinamente, en un momento cuando la mayoría de las personas no lo estarán esperando.

En Mateo 25, Jesús relata una parábola sobre su regreso. Diez jovencitas esperan emocionadas como invitadas del novio en ocasión de una boda nocturna. Aunque saben que el novio viene, no saben exactamente cuándo lo hará. Pero pase lo que pase, ¡será un evento lleno de alegría!

Entonces el novio se atrasa, y mientras las jóvenes esperan, se quedan dormidas. En la parábola, Jesús dice que cinco son sabias y cinco son necias. Pero quedarse despierta no es lo que distingue a las unas de las otras. Cuando la llegada del esposo a la boda se atrasa, *todas* se cansan y se quedan dormidas.

¿En qué se diferencian estas mujeres? Cinco de ellas han traído aceite suficiente para mantener sus lámparas encendidas durante una espera prolongada. Las otras cinco se han descuidado. No se han preparado para lo inesperado, de manera que se les acaba el aceite y salen a buscar más. El novio llega cuando no se encuentran. Invita a las cinco jóvenes sabias a presenciar la boda. Pero las cinco jóvenes descuidadas se lo pierden todo. "Pero mientras ellas iban a comprar, vino el esposo; y las que estaban preparadas entraron con él a las bodas; y se cerró la puerta" (S. Mateo 25:10).

"Y se cerró la puerta". Esta imagen poderosa debiera motivarnos a prepararnos para el regreso de nuestro Señor a pesar de cualquier demora, aunque no sepamos cuándo vendrá. Nos dice que la segunda venida de Jesús es un evento decisivo. Debemos prepararnos ahora. Cuando él regrese, la oportunidad se habrá terminado, y la eternidad estará en juego.

¿Cómo podemos asegurarnos de no ser sorprendidos por la segunda venida de Jesús? ¿Cómo podemos prepararnos? Para encontrar respuestas sólidas, examinemos el regreso de Jesús y el reino que establecerá subsecuentemente. Vamos a analizar un detalle particular, el más importante para nuestra preparación para este gran evento. La segunda venida de Jesús es el momento culminante para la historia humana. Es la ocasión cuando el mundo detendrá su rumbo. Cuando Jesús venga, el destino de cada ser humano que haya vivido alguna vez ya se habrá decidido.

Note nuevamente las palabras de Jesús registradas en el libro de Mateo: "Porque el Hijo del Hombre vendrá en la gloria de su Padre con sus ángeles, y entonces pagará a cada uno conforme a sus obras" (16:27). Jesús regresa, y ¿qué sucede? Cada persona, cada uno de nosotros, recibirá su recompensa. Para Dios, la vida de cada persona es como un libro abierto. Ahora ese libro llega a su culminación. Se rinde un veredicto. Sabemos el resultado.

Jesús hace su apelación final a la humanidad en el último capítulo de Apocalipsis, el último libro de la Biblia. Allí declara que cuando él regrese, el destino de toda la humanidad se habrá definido. Cada persona ha tomado su decisión final e irrevocable a favor o en contra de Jesús. Note la declaración solemne que se hace entonces:

> El que es injusto, sea injusto todavía; y el que es inmundo, sea inmundo todavía; y el que es justo, practique la justicia todavía; y el que es santo, santifíquese todavía. He aquí yo vengo pronto, y mi galardón conmigo, para recompensar a cada uno según sea su obra (Apocalipsis 22:11, 12).

Si cuando Jesús venga, todos los seres humanos recibirán ya sea la vida eterna o la muerte eterna, el juicio que determinará quién será hallado inocente y quién será condenado tendrá que haber ocurrido antes.

Lo bueno es que nadie tiene que temer al juicio final. La Biblia dice que todos los que colocan su fe en Jesús han pasado de condenación a vida. Él promete que en el juicio él justificará a todos los que lo aceptan como su Salvador. Pero habrá un juicio final. Ocurrirá durante los últimos días de la tierra, al final de la historia. Y decidirá el destino eterno de todos.

Una comprensión errada de los eventos del fin

A pesar de lo dicho, mucha gente hoy día ofrece un cuadro muy distinto del fin del mundo. Interpretan las profecías del Antiguo Testamento de una manera que contradice la descripción que hace la Biblia de la segunda venida. No la conectan con el fin de la historia. Tampoco se refieren al juicio real. He aquí lo que esta interpretación popular aunque errada del tiempo del fin incluye.

Para empezar, divide el regreso de Jesús en dos partes. En primer lugar se encuentra el rapto secreto. Los creyentes desaparecen. Los perdidos se quedan. Esto es seguido por un periodo de siete años de tribulación. Según esta posición, en este entonces surge el anticristo. Al final de esos siete años, Jesús regresa nuevamente a la tierra. Desciende en Jerusalén y establece un reino sobre la tierra. En ese momento comienza el milenio de paz y todos los justos se congregan en Jerusalén, mientras que el resto de la humanidad permanece afuera. Jerusalén se convierte en el lugar desde el cual brilla la luz de Dios e ilumina al mundo. Los seguidores de Jesús salen en viajes misioneros especiales, y convierten a algunos que no habían jurado alianza al Mesías todavía. Una versión de esta interpretación dice que cuando el anticristo se manifiesta durante la tribulación, 144.000 judíos convertidos predican el evangelio a aquellos que no fueron rescatados durante el rapto, y muchos aceptan a Jesús.

Estas son descripciones ampliamente aceptadas del tiempo del fin. ¿De dónde proceden estas ideas? Surgen de profecías del Antiguo Testamento que fueron dadas a la nación de Israel —profecías como la de Isaías en las que Dios dice: "Y pondré entre ellos señal, y enviaré de los escapados de ellos a las naciones,... a las costas lejanas que no oyeron de mí, ni vieron mi gloria; y publicarán mi gloria entre las naciones" (Isaías 66:19). Esto es lo que Dios anhelaba para Israel. Él deseaba que Israel se convirtiera en una luz para los gentiles.

Los líderes de Israel sabotearon este plan. Los fariseos y saduceos complotaron para destruir al Mesías a quien habían esperado durante largo tiempo. Después de la crucifixión de Jesús, el pueblo judío como una entidad religiosa y política ya no podía cumplir los propósitos de Dios. Jesús se lamentó por lo que esto implicaba para aquellos que habían sido su pueblo escogido. Dijo: "¡Jerusalén, Jerusalén, que matas a los profetas, y apedreas a los que te son enviados! ¡Cuántas veces quise juntar a tus hijos, como la gallina junta sus polluelos debajo de las alas, y no quisiste! He aquí vuestra casa os es dejada desierta" (S. Mateo 23:37, 38). Cuando el ejército romano saqueó a Jerusalén en 70 d.C., el templo fue destruido tal como Jesús predijo.

Los escritores del Nuevo Testamento dicen claramente que las promesas que una vez fueron hechas a Israel, ahora se aplican a los seguidores del Mesías. Aunque los judíos como individuos continuarían aceptando el evangelio y siendo salvos, Dios nunca más obraría exclusivamente a través de la nación de Israel. Según Pablo, ahora el verdadero "linaje de Abraham" son los que aceptan a Jesús como el Mesías (Gálatas 3:29).

Los seguidores del Mesías finalmente declararán la gloria de Dios entre los gentiles. Jesús profetizó que sus discípulos llevarían el evangelio a toda nación y pueblo. Esa tarea sería completada antes de su segunda venida.

En el libro de Mateo, Jesús enumeró algunas de las señales que habrían de preceder su venida. Predijo conflictos internacionales, hambrunas, pestilencias, terremotos y un aumento en los crímenes y la inmoralidad, además de otras cosas. Entonces añadió la señal final que sería visible antes de su retorno. "Y será predicado este evangelio del reino en todo el mundo, para testimonio a todas las naciones; y entonces vendrá el fin" (S. Mateo 24:14).

El evangelio será predicado en todas partes, y entonces vendrá el fin. Y sí, la segunda venida de Jesús es el fin de la historia. Los destinos eternos deben decidirse antes que este evento ocurra.

Es muy común que los cristianos de nuestros días imaginen que la segunda venida no es el fin de la historia. Imaginan que el regreso de Jesús traerá un milenio durante el cual miles de los que viven sobre la tierra recibirán otra oportunidad de tomar una decisión a favor de Jesús.

Sin embargo, aunque no entendamos cada detalle de los eventos del fin, la Biblia sí nos da el cuadro básico. Necesitamos ser cuidadosos para no entender mal ese cuadro básico de la ocasión que marca el fin de la historia.

Preparándose ahora para su regreso

Que nuevas personas acepten a Jesús como el Señor después de su regreso pareciera algo que a Dios le agradaría, pero en realidad resulta contraproducente, y de hecho, peligroso. He aquí la razón. Recuerde que para muchas personas, el regreso de Jesús en toda su gloria divina será tan chocante como la invasión de su casa por un ladrón nocturno. No estarán listas.

¿Por qué?

Esta es una pregunta importante. Las parábolas de Jesús nos dan una respuesta sorprendente.

¿Recuerda a las cinco jóvenes descuidadas? Esperaban la llegada del novio, pero no se había ocupado por conseguir suficiente aceite para sus lámparas para sobreponerse a las dificultades que surgieran.

Jesús también contó una parábola sobre tres siervos cuyo amo partió en un largo viaje. Antes de partir, les dio a cada uno algo de dinero para que lo invirtieran mientras él estaba ausente. Dos de ellos lo invirtieron sabiamente y consiguieron ganancias mientras su amo no estaba. El tercero, quien no confiaba en la decencia y justicia del amo, enterró el dinero que se le había dado. Decidió hacer lo que creía seguro. Pero su amo no estuvo dispuesto a mantener como empleado a alguien que era holgazán y desleal (ver S. Mateo 25:14-30).

Y en una tercera parábola, Jesús contó sobre un padre que les pidió a sus dos hijos que trabajaran en el viñedo de la familia. El hijo mayor dijo: "No quiero". Pero luego lamentó su respuesta descortés y fue a trabajar en la poda de las vides. El hijo más joven le sonrió al padre y le dijo: "Sí, señor, voy". Pero atender el viñedo no le resultaba prioritario, y se dedicó a hacer sus cosas (ver S. Mateo 21:28-31).

Por medio de estas parábolas, Jesús nos muestra por qué las personas no están listas para su segunda venida, por qué serán sorprendidas por su regreso, por qué su venida resulta tan inesperada como la de un ladrón en la noche.

¿Qué notamos? Las parábolas de Jesús no representan a individuos que se sublevan contra Dios. No lo resisten activamente. Pero tampoco le permiten que los persuada a servirle de todo corazón. Sí, reconocen de cierto modo que él es el Amo. Reconocen de cierto modo sus obligaciones. Pero no han tomado la decisión de seguirlo con todo su ser. Por eso no están listos. Por eso es que la segunda venida los toma de sorpresa.

En pocas palabras, el autor de Hebreos nos da una descripción de la diferencia entre los salvados y los perdidos. "Pero nosotros no somos de los que retroceden para perdición, sino de los que tienen fe para preservación del alma" (Hebreos 10:39). Aquellos que no están enteramente dispuestos a creer que Dios quiere lo mejor para ellos no están dispuestos a entregarse enteramente a él. Por eso se hacen los desentendidos ante las apelaciones de su Espíritu.

Dios nos da evidencia de que él merece nuestra confianza. No nos pide que demos un salto en la oscuridad sin darnos la certeza de que tendremos un lugar seguro para aterrizar. Pero una vez que hemos visto la evidencia, necesitamos tomar una decisión. Tenemos que elegir un camino. Pero muchos postergan. Parece que es parte de la naturaleza humana postergar los compromisos.

Desafortunadamente, no tomar una decisión puede tornarse en un hábito. Es un hábito apoyado por algunas interpretaciones del tiempo del fin. La descripción de la venida de Cristo que algunos promueven en efecto anima a las personas a postergar esa decisión vital. ¿Por qué decidir ahora si lo puede hacer después de la segunda venida? Tendrá tiempo de sobra para tomar esa decisión tan seria durante el milenio de paz sobre la tierra. Será fácil elegir un camino cuando Jesús regrese en un estallido de gloria y establezca su sede en Jerusalén.

La percepción popular

La opinión popular sobre los tiempos del fin estipula que los creyentes son arrebatados al cielo antes de la tribulación. En efecto, lo que los que sostienen esta posición nos están diciendo es: "No se preocupe por la tribulación. Usted no tendrá que enfrentarla". Compare tal concepto con el modelo que sirve de fundamento a las plagas descritas en Apocalipsis: las plagas del Éxodo. Es cierto que la mayoría de las plagas no afectaron a Israel; cayeron únicamente sobre los egipcios. Pero Israel también sufrió las primeras tres. Y recuerde que las siete últimas plagas caen sobre la tierra antes del regreso glorioso de Jesús. El éxodo de la iglesia al cielo ocurrirá después de las plagas de los últimos días, al igual que el éxodo de Israel de Egipto ocurrió después de las plagas en tiempos de Moisés.

Así que tenemos que prepararnos para la tribulación. Necesitamos tomar decisiones hoy que nos permitan permanecer en pie mañana. Yo creo en un Dios que puede sostenernos en cualquier tipo de prueba. Él no ha prometido librarnos de todas nuestras pruebas, pero ha prometido estar con nosotros, al igual que estuvo con Sadrac, Mesac y Abednego en el horno ardiente; al igual que estuvo con Daniel en el foso de los leones; al igual que estuvo con Pablo en la prisión.

El patrón bíblico presenta que la liberación llega a aquellos que mantienen su fe en Dios en medio de las pruebas. Así que nos toca asegurarnos que nuestra fe repose sobre un fundamento seguro. Necesitamos tomar nuestra decisión hoy. Necesitamos entrar en el compromiso adecuado antes que comience la tribulación. Si no hemos tomado una decisión para ese entonces, será demasiado tarde.

La razón por la que la gente no se compromete usualmente no se debe a que necesiten más información. No es que no puedan entender lo que Dios les pide que hagan. El problema es que no pueden decidirse. No pueden, o no quieren, tomar la decisión difícil de rendir su voluntad y seguir la voluntad de Dios. En última instancia, la batalla por la nueva Jerusalén es una batalla de voluntades.

Aceptar a Jesús como nuestro Señor es tomar una decisión. Debemos luchar contra el impulso de satisfacer nuestros deseos. Dios requiere nuestra lealtad. Aceptar a Jesús como nuestro Salvador nos lleva a reconocerlo a él como nuestro Señor. Entonces nuestro mayor deseo será hacer su voluntad. Como Jesús en Getsemaní, clamaremos desde lo más profundo de nuestro ser: "No sea como yo quiero, sino como tú" (S. Mateo 26:39). Anhelaremos vivir una vida obediente y santa porque estaremos convencidos de que la forma de vida que él nos invita a seguir es verdaderamente la mejor.

Es vitalmente importante que tomemos una decisión ahora, donde nos encontramos. Para poder elegir, debemos hacer nuestra elección antes que la historia se termine; antes de la venida de Jesús. Por eso Dios extiende invitaciones a los seres humanos como la que aparece registrada en Apocalipsis. Allí el apóstol Juan escribió acerca del Jesús que regresará a la tierra. Escribió sobre el fin de la historia. Entonces hace esta invitación: "Y el Espíritu y la Esposa dicen: Ven. Y el que oye, diga: Ven. Y el que tiene sed, venga; y el que quiera, tome del agua de la vida gratuitamente" (Apocalipsis 22:17).

El Espíritu de Jesús nos invita a venir. El que lo desee, el que quiera, puede venir y recibir el Agua de Vida. Nos incumbe a nosotros. Se trata de una elección. Y es hora de que tomemos una decisión.

¿Y usted? ¿Ha estado postergando esta decisión? ¿Acaso imaginaba que siempre habría otra oportunidad? ¿Habrá algo que se interponga entre usted y el reino de Jesús? ¿Ha permitido que algo le impida entablar el compromiso más importante de la vida? ¿Quizá algo en el trabajo o en su hogar? ¿Se tratará de un secreto que nunca ha compartido con nadie?

Ahora es el momento de hacer su elección. Ahora es el momento de decidir; ahora, antes que la indecisión se transforme en un hábito. Ahora es el momento de escoger a cuál reino pertenecerá por la eternidad. La elección es suya. Su vida es suya. Colóquese en las manos de Dios. Este podría ser el momento que decida su destino eterno.

Capítulo 8

¿Será reconstruido el templo?

Muchos creen que el Monte del Templo en la antigua Jerusalén guarda una estrecha relación con el fin de la tierra. Creen que el fin comenzará aquí, donde ahora se encuentra la Cúpula de la Roca (un santuario musulmán), donde estuvieron una vez dos templos judíos sucesivos, y donde muchos judíos creen que se edificará un tercer templo en el futuro. Una gran cantidad de cristianos está segura de que la invasión final de esta tierra de parte de Dios gira en torno a la reconstrucción de tal templo.

¿Será verdad? ¿Se trata de un concepto bíblico genuino o de un malentendido peligroso? ¿Será reedificado el templo de Israel poco antes del regreso de nuestro Señor? Para entender a plenitud las respuestas a estos interrogantes, necesitamos conocer la historia del templo.

La Biblia indica que el primer templo fue construido alrededor de 957 a.C. por el rey Salomón. Su templo reemplazó el santuario portátil que los israelitas habían construido siguiendo las instrucciones divinas, para proveerse un lugar para la adoración mientras viajaban de Egipto a Canaán. Sheshonk I, faraón de Egipto, invadió este templo pocas décadas después. En 835 a. C., Joás, quien se encontraba en el segundo año de su reinado en Judá, invirtió sumas considerables en su reconstrucción. Senaquerib, rey de Asiria, se apoderó de los objetos de valor del templo, y los babilonios lo destruyeron completamente en 586 a. C.

Según el libro de Esdras, la construcción del segundo templo fue autorizada por Ciro el grande. Los judíos comenzaron a trabajar en el templo en 538 a.C. y terminaron 23 años más tarde. Aunque este templo no era tan impresionante como su predecesor ni tan opulento en su mobiliario, era el edificio más notorio de la ciudad. Herodes el grande, el Herodes que gobernaba cuando Jesús nació, lo amplió y lo remodeló, pero el segundo templo fue destruido por los romanos en 70 d.C.

El Monte del Templo y su Centro

En el barrio judío de la antigua ciudad de Jerusalén se encuentra el Centro del Monte del Templo. Su sitio en Internet declara que tiene "el propósito de despertar el corazón de la gente y suscitar la voluntad y el deseo de construir el... tercer Templo santo rápidamente en nuestros días". Sus defensores creen que nada "puede oponerse a una voluntad determinada" y que el tercer templo se construirá en el Monte del Templo.

Durante años, el rabino Tsvi Rogin, un judío hasídico, director del Centro del Monte del Templo, siguió una rutina diaria rígida. Se levantaba a las 5:00 a.m., hacía un lavamiento ritual para purificarse, y llegaba a la entrada del Monte del Templo a las 7:20 a.m. para ser el primero en la línea. Los policías israelíes lo revisaban cuidadosamente para cerciorarse de que no traía armas y luego lo dejaban entrar al plantel, pero siempre con una escolta: un policía israelí con un chaleco antibalas a un lado, y un guardia musulmán del otro con una radio de dos vías. Si el rabino se detenía por un instante, ambos guardias se ponían nerviosos y le pedían que siguiera caminando. Intentaban impedir a como diera lugar que los labios de Rogin expresaran una oración. Permitirle orar en este lugar particular habría sido como dejar caer un fósforo en un barril de pólvora. Rogin había sido expulsado varias veces del Monte del Templo simplemente por dar la impresión de que estaba orando.

Tsvi Rogin venía día tras día. Venía a respirar el aire en el Monte del Templo. Estaba todavía obsesionado con la idea de que el tercer templo judío iba a ser reedificado aquí, y se estaba preparando para ese día glorioso, aunque nunca decía en qué consistía su preparación. Aparentemente creía que las mezquitas iban a desaparecer de alguna manera.

Otros no se han contentado con solo visitar el Monte del Templo y esperar. Los extremistas judíos han fraguado varias conspiraciones para destruir las mezquitas. Cada vez las autoridades israelíes han logrado frustrar sus intentos, por lo que ninguna explosión ha destruido la Cúpula de la Roca. Pero muchos musulmanes temen que un complot finalmente pueda tener éxito.

Este es el lugar donde, durante cientos de años, los sacerdotes hebreos ofrecieron sacrificios. Este es el lugar donde estuvo el glorioso templo de Salomón. Este es el lugar donde el incienso se elevó desde el altar frente al Lugar Santísimo hacia el Dios del cielo.

Los musulmanes rechazan los reclamos de los judíos, y hacen los suyos propios. Creen que este es el lugar desde el cuál Mahoma subió al cielo. La Cúpula de la Roca cubre el sitio y conmemora tal acontecimiento. La Mezquita Al-Aqsa se halla también en el Monte del Templo. Sus minaretes transmiten el llamado a la oración de los musulmanes varias veces al día; la adoración judía en ese lugar sería considerada una declaración de guerra.

Los musulmanes contradicen vehementemente las demandas judías por este trozo de tierra que los miembros de ambas religiones consideran sagrado. Una mujer palestina, enojada porque los judíos tuvieran la osadía de visitar el Monte de Templo, gritó: "Somos musulmanes. Alá dijo que la mezquita es solo para musulmanes. ¿A qué vienen ellos aquí? ¿Qué templo? ¿Dónde?" No prestó atención a la información de que en tiempos bíblicos dos templos fueron construidos y destruidos en este lugar.

Los cristianos y el Monte del Templo

Actualmente, muchos cristianos miran hacia el Monte de Templo con interés creciente. Lo ven como un lugar donde va a cumplirse la profecía, un lugar donde el tiempo del fin tendrá su comienzo. ¿Por qué? Un modo particular de interpretación profética se ha tornado muy popular en las últimas décadas. Se ha tornado en la posición predominante entre muchos cristianos conservadores. La nación de Israel, ellos creen, desempeñará un papel en la dramática conclusión de la historia de la tierra.

Si es así, ¿acaso no debiéramos contemplar a Jerusalén? ¿Será reconstruido el templo? ¿Es esto lo qué la Biblia predice? Observemos con cuidado las evidencias.

He aquí una profecía que a menudo citan aquellos que sostienen esta interpretación:

> Acontecerá en lo postrero de los tiempos, que será confirmado el monte de la casa de Jehová como cabeza de los montes, y será exaltado sobre los collados, y correrán a él todas las naciones. Y vendrán muchos pueblos, y dirán: Venid, y subamos al monte de Jehová, a la casa del Dios de Jacob; y nos enseñará sus caminos, y caminaremos por sus sendas. Porque de Sion saldrá la ley, y de Jerusalén la palabra de Jehová (Isaías 2:2, 3).

De manera que Isaías dice que "en los postreros días", personas de todo el mundo vendrían al "monte de la casa de Jehová" en Jerusalén. Vendrían a aprender de los caminos de Dios. Vendrían a caminar en los senderos de Dios.

Isaías describe un renacimiento espiritual centrado en Jerusalén, en la casa de Dios. Y esta profecía es solo una de las muchas que pronostican un futuro glorioso para Israel. Dios en verdad quiso que su pueblo escogido llegara a ser la luz del mundo. Quiso bendecir a todas las naciones por medio de Israel.

Desafortunadamente, cuando analizamos la evidencia, encontramos que el pueblo de Israel falló a menudo. El Antiguo Testamento cuenta la historia de sus apostasías, y de los esfuerzos de Dios para atraerlo de vuelta. De hecho, Dios todavía los llamaba después que Jerusalén fue destruida y sus habitantes conducidos al exilio en Babilonia. Dios prometió que si volvían a él, él todavía haría de ellos una gran nación. Note esta visión del Israel restaurado que Ezequiel registró:

"Haré con ellos pacto de paz, pacto perpetuo será con ellos; y los estableceré y los multiplicaré, y pondré mi santuario entre ellos para siempre" (Ezequiel 37:26).

Dios quiso establecer su santuario en Jerusalén como un lugar de luz, un lugar de revelación, así que, tras décadas de exilio, los profetas inspiraron a algunos judíos fieles a regresar a Jerusalén y reconstruir el templo. Aún había esperanza para ellos. Todavía podían llegar a ser la luz del mundo.

Cientos de años después, el pueblo de Israel tuvo su encuentro con el destino. Tenían una cita con el Mesías. Jesús nació entre ellos, se convirtió en uno de ellos. Y comenzó a proclamar que el reino de los cielos había llegado, que estaba presente entre los judíos.

Pero he aquí una de las grandes tragedias de la historia. Muchos miembros de la nación que había estado esperando tanto tiempo al Mesías, generación tras generación, desconocieron el mensaje, desconocieron al Hombre, y desconocieron el reino. Pensaban que el Mesías vendría como un poderoso conquistador para derrotar a sus enemigos nacionales y restaurar la grandeza de Israel. No entendieron que el Mesías iba a venir dos veces: primero como un Siervo sufriente que instauraría el reino de gracia, y luego como un Rey triunfante para establecer el reino de gloria.

Dios descendió a la tierra. Derramó su gracia y su paz en este planeta. Pero muchos de los judíos no percibieron lo que estaba pasando, no recibieron con beneplácito el reino de los cielos. Los leprosos fueron sanados, los ciegos abrieron sus ojos, se abrieron los oídos de los sordos, los endemoniados fueron liberados y los oprimidos fueron libertados. Pero muchos de los judíos estaban demasiado ligados a su ciudad en la tierra. Estaban enfocados en su santo templo en Sión. Estaban tan obsesionados con la presencia de Dios en su templo, que desconocieron su presencia en la persona de Jesucristo. Pensaron que Jesús era una amenaza a sus tradiciones. Así que los dirigentes judíos que controlaban Israel conspiraron contra él. Trataron de deshacerse de él, y por un tiempo tuvieron éxito.

El destino de Israel

Entonces, ¿qué le sucedió a la nación de Israel? ¿Qué le ocurrió a ese sagrado templo que Dios quiso convertir en el centro de la adoración en la tierra?

Jesús sabía lo que les pasaría a ambos, a la nación y al templo. Cuando algunos de sus seguidores comentaron sobre la belleza del templo, él contestó: "En cuanto a estas cosas que veis, días vendrán en que no quedará piedra sobre piedra, que no sea destruida" (S. Lucas 21:6). Entristecido por tal posibilidad, dijo también: "He aquí vuestra casa os es dejada desierta" (S. Mateo 23:38).

Aquellos que escuchaban a Jesús quedaron estupefactos. ¿El santo templo de Dios iba a ser destruido? ¡Eso era inconcebible! Pero eso es exactamente lo que sucedió. La desolación espiritual vino primero. Cuando Jesús murió en la cruz, el velo que separaba el Lugar Santo del Lugar Santísimo del templo fue rasgado en dos, y la presencia de Dios se apartó, para nunca volver. Y cerca de cuarenta años después, Tito, el general romano, destruyó Jerusalén y arrasó el templo.

Pero Jesús conocía todas aquellas promesas maravillosas acerca de un Israel restaurado y el santuario que, se suponía, sería establecido para siempre. ¿Cómo supo él que no se cumplirían, que más bien los judíos serían esparcidos y su templo destruido?

Lo sabía porque los fariseos y los saduceos, los escribas y los sacerdotes estaban conspirando contra él, planificando su muerte. Estaban determinados a destruir al Único que podía dar cumplimiento a sus esperanzas. Rechazaron apasionadamente al Mesías, el núcleo de su identidad como nación.

Por esto es que Jesús sabía que los días de Israel como la luz del mundo estaban contados. Los dirigentes de los judíos fueron consumidos con un templo que había llegado a ser un cascarón vacío. Todas sus ceremonias habían apuntado hacia la muerte sacrificial del Mesías, pero la vasta mayoría de los dirigentes judíos malentendió el significado de estos sacrificios. Los guardianes del templo hicieron lo indecible para cerrarle las puertas al verdadero Sacrificio cuando finalmente llegó, por eso el templo fue reducido a escombros.

¿Qué significaban entonces aquellas profecías del Antiguo Testamento y los tiempos finales? ¿Se habrán esfumado las esperanzas milenarias de Israel? ¿Habrán sido canceladas todas las promesas de un futuro glorioso?

No, no han sido canceladas. En Romanos 9–11, Pablo se esmera en decirnos exactamente lo que ha ocurrido con el plan de Dios. Les recuerda a sus lectores romanos que sus compatriotas judíos son los únicos a quienes originalmente Dios les dio su pacto, su ley y sus promesas. Y entonces dice: "No todos los que descienden de Israel son israelitas" (Romanos 9:6).

¿Qué significa eso? Pablo lo explica unos pocos versículos más tarde: "No los que son hijos según la carne son los hijos de Dios, sino que *los que son hijos según la promesa son contados como descendientes*" (vers. 8; la cursiva es nuestra). Pablo dice que no es la genealogía lo que le da al pueblo un lugar ente los escogidos. Es la aceptación de la promesa de Dios. Es un asunto de fe. Así sucedió con Abraham, el patriarca judío original. Así sucede con todos los demás.

En Gálatas, Pablo aclara el contenido de esa fe: "Si vosotros sois de Cristo, ciertamente linaje de Abraham sois, y herederos según la promesa" (Gálatas 3:29). El depositar su fe en Jesús el Mesías, lo hace a usted hijo de Abraham. Lo hace a usted heredero de su legado. Después de todo, Jesús fue la culminación de la historia hebrea. Todo es consumado con él. Él fue la morada verdadera de Dios en la tierra. Él era el sacrificio verdadero. Él fue el cumplimiento verdadero de la ley. Así que todas las bendiciones prometidas a Israel ahora pertenecen a los seguidores del Mesías, quienquiera que sean, judíos o gentiles. La comisión que Dios le dio a Israel de iluminar el mundo es ahora la responsabilidad de los seguidores de Jesús, el Mesías.

Pablo nos dice que cualquiera que cree puede ser injertado en la vid original, la vid hebrea que Dios regó y cultivó por tanto tiempo. Personas de todos los trasfondos, razas y nacionalidades pueden llegar a formar parte de los elegidos, parte de la familia de Dios.

El plan de Dios para Israel ha llegado a ser el plan de Dios para los creyentes, para todos los que depositan su fe en él. ¿Comprende lo que eso significa? Las profecías de Dios sobre Israel ahora han llegado a ser las profecías para los creyentes. Recuerde que *todas* las promesas de Dios son *sí* en Jesús (2 Corintios 1:20). Han sido concedidas a sus seguidores, la simiente de Abraham, no importa su trasfondo racial.

¿Pero qué encontramos hoy? Encontramos muchos cristianos enfocados en la nación de Israel porque piensan que Israel jugará un papel importante en los eventos del fin del tiempo.

Buscando en el lugar equivocado

Todos los que han enfocado sus ojos sobre Israel están buscando en el lugar equivocado. Están buscando un reino que sea construido sobre la tierra cuando necesitamos buscar un reino venido del cielo. Están enfocando los eventos políticos en vez de los eventos espirituales. Están poniendo más atención a la obra del anticristo en la tierra que al ministerio del Cristo genuino en el cielo. Y sobre todo, su atención está centrada en el templo terrenal en vez del templo celestial.

Así es: un templo celestial. ¿Se da cuenta que el Nuevo Testamento dirige nuestra atención hacia el templo celestial como parte del nuevo pacto de la fe y la gracia?

Démosle una mirada al libro de Hebreos. Este documento extraordinario fue escrito por judíos. Muestra cómo sus prácticas religiosas encuentran su cumplimiento final en Jesús. Muestra que el templo judío en realidad apuntaba a Jesús, que todos los sacrificios y las ceremonias del templo señalaban al sacrificio de Jesús en el Calvario; que su muerte da sentido a todos esos sacrificios. Muestra que Jesús es el Sumo Sacerdote definitivo. Y muestra que Jesús es el Mediador de un nuevo pacto, un mejor pacto, uno que nos provee una herencia eterna.

He aquí como el autor resume la verdad fundamental que Dios quiso enseñar concerniente al templo judío:

Ahora bien, el punto principal de lo que venimos diciendo es que tenemos tal sumo sacerdote, el cual se sentó a la diestra del trono de la Majestad en los cielos, ministro del santuario, y de aquel verdadero tabernáculo que levantó el Señor, y no el hombre (Hebreos 8:1, 2).

Hay aquí dos verdades vitales que podemos aprender del libro de Hebreos: (1) El verdadero tabernáculo está en el cielo. (2) Todo lo que ocurría en el Santuario terrenal apuntaba hacia la vida, la muerte, la resurrección y el ministerio de Jesús como nuestro Intercesor y Sumo Sacerdote en el Santuario celestial. El Santuario terrenal no era un fin en sí mismo. Dios le dijo a Moisés que el Santuario terrenal debía ser construido "conforme al modelo que te ha sido mostrado en el monte" (Éxodo 25:40). En los últimos días de la tierra, no deberíamos enfocar nuestra atención en un sumo sacerdote judío que ministre en un templo reconstruido en Jerusalén. Más bien, deberíamos enfocarnos en Jesús, nuestro gran Sumo Sacerdote en el templo del cielo.

El apóstol Pablo prosigue su discusión acerca del ministerio sumo sacerdotal de Jesús: "Estando ya presente Cristo, sumo sacerdote de los bienes venideros, por el más amplio y más perfecto tabernáculo, no hecho de manos, es decir, no de esta creación" (Hebreos 9:11).

El autor de Hebreos revela que los muebles del templo en la tierra son copias de las cosas que hay en el cielo. De hecho, el templo mismo es una copia del verdadero templo del cielo. Notemos lo que Hebreos dice: "No entró Cristo en el santuario hecho de mano, *figura del verdadero,* sino en el cielo mismo para presentarse ahora por nosotros ante Dios" (Hebreos 9:24; la cursiva es nuestra).

Jesús, el Sumo Sacerdote supremo, actualmente comparece delante de Dios en nuestro favor en el Santuario celestial. Ese es el lugar donde el Nuevo Testamento lo ubica. Hacia allí es que el Nuevo Testamento orienta nuestra esperanza.

Notemos esta entusiasta invitación: "Teniendo libertad para entrar en el Lugar Santísimo por la sangre de Jesucristo... acerquémonos con corazón sincero, en plena certidumbre de fe" (Hebreos 10:19, 22). ¡Podemos acercarnos al mismo trono de Dios confiadamente! Podemos tener plena seguridad en nuestra fe. ¿Por qué? Porque tenemos un Mediador maravilloso; porque tenemos un Sumo Sacerdote maravilloso; porque tenemos un Abogado maravilloso en el cielo. Es allí donde el Nuevo Testamento fija nuestra esperanza. Ahí es donde centra nuestra atención. Nos dice que allí es que tenemos que buscar ahora y allí hemos de buscar en los tiempos finales.

El libro de Apocalipsis está lleno de imágenes de Jesús en el templo celestial, un Jesús glorioso que anda entre los siete candeleros, un Jesús glorioso que ha hablado a las iglesias a lo largo de los siglos, y que nos habla hoy. Los adoradores se inclinan gozosos delante de él en un templo sublime en el cual las luces destellan y los truenos rugen. Los ángeles que llevan el último mensaje de Dios salen volando de ese templo. Voces desde el templo advierten acerca de los dramáticos eventos finales de la historia de la tierra.

Los cielos se abren cuando Jesús emerge triunfante, cabalgando sobre un caballo blanco, y desciende al frente de sus ejércitos angélicos hacia la tierra. El Nuevo Testamento nos señala al Santuario del cielo, donde nuestra esperanza puede reposar segura. Es allí donde tenemos un divino Abogado y Amigo. Es allí donde tenemos un lugar seguro con Dios.

No tenemos que temer a causa de conspiraciones que involucran un templo en Jerusalén. No tenemos que preocuparnos de los judíos extremistas que intentan destruir la Cúpula de la Roca. No tenemos que mortificarnos por los juramentos árabes de cobrar venganza si alguno profana su sagrada mezquita. No tenemos que tratar de calcular cómo una reconstrucción del templo y sus sacrificios podría cuadrar con el plan de Dios para los últimos tiempos. No tenemos que temblar cuando pensamos en el anticristo y la tribulación venidera. No debemos enfocarnos en lo que está pasando en la tierra. Este es el lugar equivocado. Esa es la orientación equivocada para interpretar la profecía. Como Pablo dijo, deberíamos tener "puestos los ojos en Jesús, el autor y consumador de la fe" (Hebreos 12:2). Él es nuestra esperanza. Nuestra fe debe estar anclada en el Santuario celestial, donde nuestro gran Sumo Sacerdote ministra por nosotros. Podemos venir "confiadamente al trono de la gracia, para alcanzar misericordia y hallar gracia para el oportuno socorro" (Hebreos 4:16).

El plan de Dios no se basa en un reino terrenal. Se fundamenta en un reino celestial. El plan de Dios no se basa en un templo terrenal. Gira en torno a un templo celestial. Muchas personas, en su prisa por proyectar conflictos políticos en la profecía bíblica, han olvidado estos hechos básicos. Tratan de hacer del último conflicto entre Israel y los palestinos una señal de los tiempos finales. Pero el plan de Dios no depende de conflictos territoriales en Jerusalén.

La geografía divide. La espiritualidad une. El plan de Dios se centra en el templo celestial, en el cual todos los seres humanos, no importa la raza ni la nacionalidad ni el trasfondo, pueden venir confiadamente ante él. El plan de Dios se centra en Jesús como el Único que se dio a sí mismo por nosotros. El plan de Dios se centra en el Mesías, quien puede elevarnos de nuestras constantes querellas a su reino. El plan de Dios se edifica de arriba abajo. Fluye desde el trono del Todopoderoso y llega hasta nuestros problemas aquí en la tierra.

Yehuda Amichai es ampliamente reconocido como el poeta nacional de Israel. En una ocasión se topó con una pareja abrazada en una calle de Jerusalén. Consciente del peso de la historia que pende sobre la ciudad, les dijo con una sonrisa: "Tengan cuidado, porque aquí, cada amor puede convertirse en una nueva religión".

La verdad es que si cada amor se convirtiera en religión, no tendríamos tantos problemas en Jerusalén ni en ningún otro lugar. A menudo es el odio lo que se convierte en religión. Es el prejuicio lo que se torna en religión. Es el orgullo lo que se transforma en religión. Es la agresión lo que se convierte en religión.

Necesitamos desesperadamente un amor que se convierta en religión. Necesitamos el amor del Padre celestial que tiene un plan para nosotros, un Padre celestial que no cansa de nosotros. Necesitamos el amor de un Dios que nos edifica un lugar de refugio, el amor de un Dios que nos asegura que podemos acudir confiadamente a él en la hora de la necesidad.

¿Dónde está su enfoque hoy? ¿Está en el primer templo o en el templo celestial? ¿Está en el anticristo o en el Cristo verdadero? ¿Está en lo que Dios desea hacer por los judíos, o en lo que él desea hacer en su propia vida?

Lo animo a depositar su esperanza en el Señor del cielo y de la tierra. Le recomiendo con todo mi corazón el reino celestial de Jesús. Es el único lugar seguro en un mundo lleno de odio y de conflictos. Es el único lugar donde podemos encontrar paz a los pies de nuestro Padre celestial. En el cielo su esperanza puede reposar segura. Puede estar convencido de que el Dios santo, que también es su Padre celestial, lo recibirá.

Lo invito a responder al llamamiento de los apóstoles que escribieron tan elocuentemente en el Nuevo Testamento. Ellos centraron nuestra esperanza en el Único que vino a vivir y a morir por nosotros, en el Único que vino a conquistar la muerte por nosotros y a ascender al cielo por nosotros. Nos piden que pongamos nuestra fe en el Mediador de un nuevo pacto, en el Sumo Sacerdote de un mejor templo. Nos piden que fijemos nuestra mirada en él ahora, mañana y en los tiempos finales. Él es el mismo Salvador maravilloso ayer, hoy y por siempre. Aquel que murió por usted, ahora vive por usted, ¡y Aquel que vive por usted viene otra vez para llevarlo a una tierra mejor!

. Quoted in "The Militant Poet," *Newsweek,* 23 de julio, 2000, archivado en el *Daily Beast,* http://www.thedailybeast.com/newsweek/2000/07/23/the-militant-poet.html

Capítulo 9

El problema con el anticristo

No es una escena desacostumbrada hoy día ver a soldados israelitas patrullando las calles de Jerusalén. Vehículos blindados recorren la ciudad. Jóvenes conscriptos al servicio militar marchan hacia el Muro de los Lamentos con rifles en las manos. A veces pareciera que la antigua Ciudad Santa es objeto de una invasión o un sitio militar. La pregunta perenne es: ¿Quién pretende invadir a quién? ¿Será que los palestinos intentan apropiarse de más terreno israelita, o que los israelíes se han apoderado de la patria de los palestinos? Jerusalén siempre parece estar al borde de un encuentro, y la tensión que allí impera le sugiere a muchas personas que en efecto se acerca un desenlace final; que todo esto prefigura una invasión final de parte del anticristo.

¿A qué se debe este conflicto? Este gran interrogante cobra mayor importancia aún cuando se trata de Cristo contra el anticristo.

Durante varias décadas, Israel ha estado atravesando lo que podríamos denominar un "tiempo de prueba". Es una condición de agitación continua. La *Intifada* —la insurrección palestina— resurge periódicamente. Los israelíes, con armamentos superiores, suprimen las protestas. Entonces los terroristas atacan. Explotan bombas en autobuses o mercados. Y los israelíes persiguen a los grupos como Hamas que reclaman responsabilidad. Jerusalén sigue siendo una chispa lista para estallar en llamas, y sus ciudadanos buscan formas de sobrevivir los muchos peligros de su tiempo de prueba.

Muchos cristianos consideran que Jerusalén será el escenario clave de conflictos en el tiempo del fin. Una gran cantidad de historia religiosa desemboca en esta ciudad. Gran cantidad de profecías la mencionan. Muchos cristianos creen que un tiempo de prueba o tribulación anterior a la venida de Cristo comenzará aquí.

¿Qué dice la Biblia exactamente sobre la tribulación? ¿Acaso nos dice cómo sobrevivirla? ¿Señala un camino que la atraviese? Busquemos algunas respuestas.

Un detalle es claro: La tribulación está estrechamente relacionada con el anticristo. La llegada de uno está conectada con la otra. En Apocalipsis el anticristo es conocido como "la bestia". Hace su entrada dramática en el capítulo 13, y surge del mar. Y cuando llega, crea problemas al impulsar la proclamación de una ley que dice que nadie puede comprar ni vender, excepto aquel que tenga la marca de la bestia (Apocalipsis 13:17). De esta manera, la bestia ejerce un poder coercitivo. Incluso intenta matar a todos los que no adoren su imagen.

En la profecía de Daniel, el anticristo es conocido como el "cuerno pequeño". Daniel dice "Y veía yo que este cuerno hacía guerra contra los santos, y los vencía" (Daniel 7:21). En Mateo 24, Jesús relaciona a los engañadores que dicen "Yo soy el Cristo" con una serie de "guerras y rumores de guerra" (versículos 5, 6). Y en 2 Tesalonicenses 2:3, el apóstol Pablo menciona dos eventos que preceden el día de la venida de Jesús: "la apostasía" y "el hombre de pecado".

Este hombre de pecado, "hijo de perdición", es el anticristo. Y la "apostasía" se refiere a un tiempo cuando las personas bajo presión y coerción apostatarán o perderán su fe. Ese será el tiempo de prueba. Y no se trata de un accidente. No es algo que Dios envía arbitrariamente para probar a su pueblo. El anticristo, alguien que se *opone* a Jesús, es quien es responsable de la tribulación.

Sobrevivir la tribulación significa sobrevivir al anticristo. Cuando entendemos cómo resistirnos a él, sabremos cómo sobrevivir el tiempo de prueba que él causa.

Recuerde que esta es una batalla espiritual. La supervivencia no es cuestión de almacenar víveres en el sótano. No se trata de endurecernos ni de aprender a resistir el dolor. Para sobrevivir en esta batalla lo que cuenta es la condición de nuestro espíritu.

Considere esta gema del libro de Hebreos. Revela lo que nos permitirá sobrevivir en el próximo tiempo de prueba: "Corramos con paciencia la carrera que tenemos por delante, puestos los ojos en Jesús, el autor y consumador de la fe" (Hebreos 12:1-2).

¿Cómo puede usted llegar hasta el fin de la carrera? ¿Cómo puede aprender a correr con paciencia, con resistencia? Ponga sus ojos en Jesús. Centre su atención en él.

Esto se aplica a condiciones normales, pero será especialmente importante en los tiempos del fin. El anticristo está empeñado en engañarnos. De hecho, desea hipnotizarnos. Note cómo Apocalipsis describe las actividades del anticristo. El apóstol Juan escribe: "[Él] hace grandes señales, de tal manera que aun hace descender fuego del cielo a la tierra delante de los hombres. Y engaña a los moradores de la tierra con las señales que se le ha permitido hacer" (Apocalipsis 13:13, 14).

El anticristo desea engañarlo a usted. Él es el representante de Satanás, de quien Jesús dijo "no hay verdad en él. Cuando habla mentira, de suyo habla; porque es mentiroso, y padre de mentira" (S. Juan 8:44).

Fue Satanás quien engañó a la primera pareja, Adán y Eva, en el jardín del Edén. Dios les había advertido que no comieran de la fruta prohibida, pero Satanás les dijo: "Está bien. Coman, nada malo les pasará". Satanás empleó el engaño para conducir a esta pareja a la desobediencia, y ha continuado engañando a los seres humanos desde ese entonces. Debido a este peligro, necesitamos mantener nuestra atención enfocada en Jesús. Es es el primer elemento esencial para sobrevivir el tiempo de prueba.

¿Quién se encuentra en el centro del escenario?

¿No resulta irónico que muchos creyentes sinceros le otorguen al anticristo el lugar central en el escenario en tantos sentidos? Esto incluso se aplica a la manera en que interpretamos la Biblia. Considere la profecía de Daniel 9, por ejemplo. Esta es una profecía clave que se refiere a la venida del Mesías. Daniel 9:25 señala hacia el futuro decreto de "restaurar y edificar a Jerusalén" hasta el tiempo del "Mesías Príncipe". El versículo 26 dice: "Se quitará la vida al Mesías, mas no por sí". Esta es una predicción de la muerte de Cristo en la cruz, de su lucha en el Calvario, "no por sí", sino por la humanidad pecaminosa.

El versículo 27 añade: "Y por otra semana confirmará el pacto con muchos; a la mitad de la semana hará cesar el sacrificio y la ofrenda".

¿Quién confirma el pacto? Es evidente que se trata del Mesías. Poco antes del juicio y la crucifixión de Jesús, él se encontró con los discípulos en el aposento alto e instituyó el rito de la comunión. Cuando tomó el vino que representaba la sangre que pronto derramaría en el Calvario, dijo: "Porque esto es mi sangre del nuevo pacto, que por muchos es derramada para remisión de los pecados" (S. Mateo 26:28). ¡Nuestro Redentor selló el nuevo pacto con su propia sangre!

Entonces, ¿quién puso fin al "sacrificio y la ofrenda"? Esto seguramente se refiere también a Jesús. Él, no el anticristo, dio origen al pacto. Examinemos brevemente el tema del pacto.

La palabra *pacto* se utiliza más de trescientas veces en la Biblia. Aparece en 63 de los 66 libros de la Biblia. El tema del pacto es el plan de Dios; lo que él hace para salvar a los seres que él creó. Dios establece las condiciones del pacto. Él es el originador y autor del pacto. Él inicia su pacto con su pueblo. Cuando se presenta el tema del pacto divino de gracia y salvación en Génesis, Dios lo llama el "pacto perpetuo" (Génesis 9:16), y dice repetidamente que él es quien toma la iniciativa en formular el pacto: "estableceré mi pacto", "pondré mi pacto entre mí y ti" y "yo estableceré mi pacto" (Génesis 6:18; 17:2, 21).

Dios pensaba en el sacrificio de Jesús en la cruz cuando estableció el pacto. La muerte de Jesús era la realidad hacia la cual señalaban todos los sacrificios ofrecidos en el Antiguo Testamento. Después de su muerte, ya no se necesitaban los sacrificios porque el verdadero sacrificio, el único que era eficaz, ya había sido efectuado. Esto parece bastante sencillo, pero hay una interpretación diferente que ha ganado popularidad en años recientes. Muchos cristianos ahora aplican la frase en la profecía de Daniel que dice "por otra semana confirmará el pacto con muchos", no al Mesías, sino al anticristo. Por alguna razón creen que las palabras de Daniel le están dando al anticristo el lugar central del escenario.

En el tiempo del fin, nos dicen, el anticristo hará un tratado de paz con los judíos de Israel. Aseguran que este es el significado de las palabras de Daniel acerca de la confirmación del pacto. También dicen que este poder malévolo pondrá fin a "los sacrificios y ofrendas" en el templo. Por supuesto, esto exige que exista un templo, y que éste ofrezca servicios. Así que los que interpretan a Daniel de esta manera nos dicen que los judíos algún día van a construir un templo en el lugar del antiguo templo de Jerusalén.

Creo firmemente que las personas que aceptan esta interpretación ven al anticristo en pasajes de las Escrituras en el que debieran ver a Jesús. Las Escrituras nunca dicen que el anticristo confirma un pacto con nadie. Esta frase casi siempre se aplica al Mesías. Y es obvio que todo Daniel 9:24-27 se aplica al Mesías, no al anticristo.

El nuevo pacto

El autor de Hebreos escribe acerca de un nuevo pacto que Jesús confirmó con su propia sangre. Se basa en la obra de Dios, no en la nuestra. Está anclado en sus promesas, no las nuestras. Está fundamentado en lo que él ha hecho, no en lo que nosotros deseamos lograr. La muerte sacrificial de Jesús ratificó un pacto muy especial. Dios lo describe de esta manera:

> Por lo cual, este es el pacto que haré con la casa de Israel después de aquellos días, dice el Señor: Pondré mis leyes en la mente de ellos, y sobre su corazón las escribiré; y seré a ellos por Dios, y ellos me serán a mí por pueblo (Hebreos 8:10; citando Jeremías 31:33).

Por la gracia de Jesús, nos unimos a Dios y nos convertimos en su pueblo de un modo especial. Dios escribe su ley en nuestra mente y en nuestro corazón. Él escribe la ley en nuestra mente para que sepamos lo que él desea que hagamos, y la escribe en nuestro corazón para que deseemos hacer lo que él dice. Pablo nos dice:

> Porque por gracia sois salvos por medio de la fe; y esto no de vosotros, pues es don de Dios; no por obras, para que nadie se gloríe. Porque somos hechura suya, creados en Cristo Jesús para buenas obras, las cuales Dios preparó de antemano para que anduviésemos en ellas (Efesios 2:8-10).

El pacto de gracia del Nuevo Testamento nos lleva a la obediencia. Hace que amemos la obediencia. Nos cambia de manera que anhelemos cumplir los requisitos justos de la ley, según señala Pablo. El nuevo pacto de Jesús nos ofrece perdón para el pasado y una nueva vida en el futuro: una nueva vida de obediencia gozosa.

Este es el pacto que Satanás intenta destruir. Satanás el engañador, Satanás el padre de mentiras, desea engañarnos de modo que quebrantemos el pacto con Dios. Desea que creamos que la gracia de Dios no es capaz de transformarnos en cristianos obedientes. Desea que creamos que el pecado es tan poderoso que la sangre de Jesús no puede darnos la victoria sobre los pecados que nos asedian. Desea convencernos de que la gracia significa que podemos continuar dándole lugar a nuestros deseos pecaminosos y tendencias.

El anticristo desea que nos concentremos en nuestra debilidad antes que en la fortaleza de Jesús. Desea que veamos cuán malos somos en vez de cuán bueno es Jesús. El anticristo está empecinado en subvertir la victoria sobre el pecado que Jesús hizo posible. Intentará hacernos creer, al igual que Adán y Eva en el jardín, que la obediencia en verdad no importa. Nos embaucará con su gran mentira de que somos nuestra propia ley, y que no necesitamos darle a Dios nuestra obediencia absoluta.

Apocalipsis nos dice que el anticristo será extraordinariamente victorioso en su engaño. Dice: "Y engaña a los moradores de la tierra con las señales que se le ha permitido hacer" (Apocalipsis 13:14), y añade que parecerá que todo el mundo sigue a esta figura carismática. Este es el problema con el anticristo. Aquí está el peligro. Dios invita a todo el mundo a comprender el valor de la obediencia, el valor de los principios eternos que nos ha mostrado, y Satanás está haciendo todo lo que puede para distorsionar el mensaje de Dios.

Apocalipsis 14:6-13 es un pasaje impresionante que representa a tres ángeles que vuelan hacia la tierra para llevar los últimos mensajes de advertencia de Dios. Que se los represente como ángeles expresa la importancia de estos mensajes. Somos invitados a practicar la adoración genuina. "Temed a Dios" claman los ángeles, "y adorad a aquel que hizo el cielo y la tierra". En otras palabras, necesitamos recobrar un sentido de reverencia hacia nuestro Creador.

Entonces los ángeles nos advierten contra un sistema falso de adoración, un sistema representado —simbolizado— por Babilonia. Es un regreso a Babilonia, la que era el centro de la adoración del ocultismo y la idolatría. Los ángeles advierten que en el tiempo del fin estos temas dividirán nuevamente a la humanidad. Tendremos que escoger entre la adoración falsa y la verdadera. Tendremos que escoger entre adorar al Creador y Redentor por un lado, y seguir a un obrador de milagros deslumbradores por el otro. Tendremos que elegir entre obedecer los mandatos claros de Dios y obedecer las tradiciones y los dogmas humanos.

Jesús inspira a las personas a aspirar a algo más elevado de lo común, a responder a la ley escrita en sus corazones. Los inspira a responder a su amor por ellos al obedecerlo a él. El anticristo se opone a los principios morales eternos. La Escritura lo llama "el hombre de perdición". Engaña a las personas haciéndolas pensar que la obediencia no importa.

Pero aquellos que han llegado a confiar en Dios en cuanto a su salvación, aprecian su santa ley. Atesoran sus Diez Mandamientos. Vea este cuadro de los sobrevivientes que están de parte de Dios, su pueblo del tiempo del fin: "Aquí está la paciencia de los santos [los creyentes], los que guardan los mandamientos de Dios y la fe de Jesús" (Apocalipsis 14:12). Esta gente no sucumbe ante los engaños del anticristo. No adoran a la bestia; adoran al Creador. No ignoran los mandamientos de Dios; su fe en Jesús los lleva a observar los mandamientos.

Los temas en el conflicto final de la historia de la tierra trascienden la ocupación de un templo terrenal de parte del anticristo. Involucran el gran conflicto entre Dios y el mal y el tema de quién ocupará el templo de nuestro corazón. Estas importantes escenas finales de la historia de la tierra dirigen nuestra atención al Santuario celestial. Nos llevan a una entrega más profunda por la fe y en obediencia a Jesús, nuestro Sumo Sacerdote celestial.

Ni la naturaleza humana ni los esfuerzos humanos por sí solos nos salvarán de la tribulación. El anticristo y sus seguidores vencerán a aquellos que piensan que pueden sobrevivir el tiempo del fin por su cuenta.

¿Cómo podemos sobrevivir la tribulación? Podremos sobrevivir únicamente si somos fortalecidos por el amor de Jesús, fortalecidos por Aquel que dio su vida por nosotros. Podemos sobrevivir únicamente si permitimos que él escriba su ley en nuestra mente y en nuestro corazón.

Defienda un principio, no un lugar

Otro detalle acerca de la supervivencia: para sobrevivir, hemos de defender un principio, no un lugar. En los tiempos del profeta Daniel, Nabucodonosor —rey de Babilonia, el imperio más poderoso de la tierra en esa época— decretó que todos sus súbditos debían postrarse ante una enorme estatua dorada que él había erigido. Esta estatua era una imitación —una "edición corregida"— de una que había visto en un sueño que Dios le había dado sobre el futuro.

La cabeza de oro de aquella estatua representaba el reino de Nabucodonosor, Babilonia. Pero aunque era sumamente rica y poderosa, Babilonia no duraría para siempre. El sueño representaba el pecho y los brazos de la estatua como hechos de plata, lo que indicaba que otra potencia (los medos y los persas) reemplazarían a Babilonia como el imperio principal. El sueño también presentaba a otros imperios que seguirían y un periodo posterior donde no habría un solo imperio que controlara el mundo, seguido finalmente por la restitución de Dios como el único soberano de la tierra.

Nabucodonosor, no obstante, deseaba que la Babilonia que él había fundado durara para siempre. Por eso es que la imagen que erigió en el llano de Dura era de oro de la cabeza a los pies. Y Nabucodonosor quería que toda persona en Babilonia viniera y se arrodillara ante esta imagen. "Todos" incluía a tres exiliados hebreos: Sadrac, Mesac y Abed-nego. Si ellos no abandonaban sus convicciones y adoraban a la imagen en desobediencia a los mandamientos de Dios, serían echados a un horno calentado siete veces más de lo usual. Consecuentemente, los tres jóvenes hebreos enfrentaban un tiempo de prueba peor que cualquier otro en su pasado.

Estos jóvenes habían sido capturados cuando su amada Jerusalén fue destruida. Habían perdido mucho más que su terruño. El Dios del cielo tenía su santo templo en Jerusalén, y éste también había sido destruido. Ahora estos jóvenes hebreos estaban siendo obligados a rendir su integridad. Enfrentaban la elección de participar en un culto falso o ser ejecutados.

Por estar en un lugar lejano, habría sido fácil para ellos adoptar los dioses y las creencias de los babilonios. Podrían haber determinado que su mayor prioridad era sobrevivir en ese ambiente. Esta opción ciertamente pareció muy tentadora cuando se encontraron con miles de otras personas delante de la estatua y sonó el clarín que indicaba el momento de postrarse. Pero los tres hebreos no se inclinaron, y sobresalían entre los demás como tres palmeras.

Nabucodonosor se enfureció. Amenazó con echar a los hebreos en el horno que se había preparado para los que desobedecieran el decreto. En ese momento, estos jóvenes demostraron que ellos no defendían un lugar, sino un principio. Por eso dijeron:

> He aquí nuestro Dios a quien servimos puede librarnos del horno de fuego ardiendo; y de tu mano, oh rey, nos librará. Y

si no, sepas, oh rey, que no serviremos a tus dioses, ni tampoco adoraremos la estatua que has levantado (Daniel 3:17, 18).

Estos tres hebreos fieles no fueron raptados antes de la tribulación. No fueron librados de la prueba, sino que fueron librados *en* la prueba. Creían en un Dios omnipotente que podía librarlos. Él podía librar a los que vivían en Jerusalén, y podía librar a los que vivían en Babilonia. Adorarlo solo a él era un asunto de principios. Habrían de permanecer fieles a él aunque esto significara morir en un horno ardiente.

Esta historia merece la notoriedad que tiene. Usted posiblemente la recuerda. Los tres hebreos fueron lanzados al fuego, Dios caminó con ellos entre las llamas y emergieronn sin rastros de fuego. En la prueba máxima de sus vidas, determinaron por la gracia de Dios ser obedientes a sus mandamientos.

Cuando un líder mundial proclamó un decreto para establecer una adoración falsa y se añadió la pena de muerte para todos los que no obedecieran, el pueblo de Dios enfrentó su tiempo de prueba con una entrega resoluta a él. Este es el modelo para los días finales de la historia de la tierra. De manera similar, Dios tendrá un grupo de personas que serán fieles a él a pesar de las demandas del anticristo de que todos desobedezcan al Dios del universo. Lo que resulta crucial en el conflicto final es que mantengamos a Jesús en el centro del escenario. Allí debe permanecer ahora. Y allí debe permanecer en el tiempo del fin.

Muchos cristianos han ideado todo tipo de propuestas basadas en la idea de que el anticristo invadirá a Jerusalén. Sugieren que el anticristo creará una poderosa alianza en Jerusalén que Jesús interrumpirá cuando él venga.

No hay duda de que el anticristo será una potencia importante. Pero recordemos quién es el que invade. Recuerde que Jesús es el Creador. Y es Jesús quien es el Redentor. Él compró a cada individuo en este planeta con su propia sangre. De manera que el anticristo crea una interrupción momentánea. Él está invadiendo el dominio de Dios, y él pronto será desaparecido del mapa.

Jesús va a triunfar. Manténgalo a él en el lugar central.

Concéntrese en la Palabra de Dios

Ahora analicemos otro elemento necesario para sobrevivir la tribulación. Debemos estar al tanto de cualquier presunto líder religioso que aparte a las personas de las enseñanzas de la Palabra de Dios y de la obediencia a la ley de Dios. El profeta Isaías lo declaró sucintamente al pueblo escogido en sus días: "A la ley y al testimonio, Si no dijeren conforme a esto, es porque no les ha amanecido" (Isaías 8:20).

El prefijo *anti* no solo significa "en contra", también se refiere al acto de "rivalizar". El anticristo es un Jesús falso vestido con un manto de religiosidad, quien se opone al Jesús genuino haciéndose pasar por él. Eso es importante, porque nos dice que la esencia del anticristo es el engaño. El movimiento que desarrolla sobre la tierra apunta al engaño y la destrucción posterior del pueblo verdadero de Dios. Se lo describe en Apocalipsis 12 como la serpiente que engaña y el dragón que destruye (Apocalipsis 12:9). Él "se opone y se levanta contra todo lo que se llama Dios o es objeto de culto; tanto que se sienta en el templo de Dios como Dios, haciéndose pasar por Dios" (2 Tesalonicenses 2:4). El anticristo usurpa la autoridad de Dios, establece una adoración falsa, y coloca la tradición humana por encima de los mandamientos de Dios.

En el tiempo de prueba venidero se colocará una presión enorme sobre el pueblo de Dios. La tentación a rendirnos será extraordinaria. Si nos rendimos ahora, será más fácil rendirnos entonces. Si nos aferramos a la tradición en lugar de la Palabra de Dios, será más fácil traicionar nuestros principios en el futuro. Nuestra única seguridad en el futuro radica en nuestra fidelidad a Dios ahora.

A veces podemos pensar que nos estamos aferrando a la verdad, pero en realidad nos estamos aferrando a la tradición. Al hablar con los líderes religiosos de sus días, Jesús declaró: "Pues en vano me honran, enseñando como doctrinas, mandamientos de hombres" (S. Mateo 15:9). A veces somos tentados a aferrarnos a creencias sostenidas por un líder religioso popular o por una denominación que ha sido nuestro hogar espiritual desde nuestra infancia, a pesar de que sus enseñanzas contradicen las Escrituras. Cuando hacemos tal cosa, aumentamos la posibilidad de ser engañados por el anticristo.

A veces pensamos que estamos comprometidos con una iglesia, cuando en realidad estamos comprometidos con un lugar familiar, una tradición, algo que se siente cómodo. Cuanto más superficial sea nuestro compromiso con Dios, más propensos seremos a aferrarnos firmemente a las tradiciones que conocemos. Asegúrese de defender principios: principios establecidos claramente en la Palabra de Dios. Esto le permitirá resistir en cualquier tiempo de prueba. Esto lo mantendrá aferrado a aquello que es firme e inamovible cuando todo lo demás en este mundo se está desmoronando.

En una ocasión memorable, Yitzhak Rabín y Yasser Arafat posaron en el jardín de la Casa Blanca y se extendieron las manos el uno al otro. Habían cementado un acuerdo histórico de paz, y daban un paso importante hacia el fin de la violencia en el Oriente Medio. Ambos pueblos habían disputado por territorio durante mucho tiempo. De más está decir que se trataba de un lugar importante: la antigua ciudad santa de Jerusalén. Los israelíes la reclaman como suya. Los palestinos dicen lo mismo. Y nadie quiere ceder un ápice. Pero en aquella ocasión en la Casa Blanca, dos hombres fueron capaces de superar la defensa de sus posiciones, y estuvieron dispuestos a actuar en base a principios.

Yasser Arafat habló de su gran esperanza. Dijo: "Hoy marca el comienzo del final de un capítulo de dolor y sufrimiento que ha durado todo un siglo. Mi pueblo anhela que este acuerdo que estamos firmando hoy traiga una nueva era de paz".[1]

Yitzhak Rabín también se expresó elocuentemente. Declaró: "Nosotros que venimos de una tierra donde los padres entierran a sus hijos, nosotros que hemos peleado contra ustedes los palestinos, les decimos hoy con una voz clara y fuerte: ¡Ya basta de sangre y lágrimas! ¡Basta!"[2]

¡Basta de sangre! ¡Basta de sufrimiento! ¡Basta de lágrimas! ¡Basta del odio que se transmite de generación en generación! Este es un principio que merece ser defendido. Y al menos por unos instantes, prevaleció la paz. Hubo una pausa en la larga tribulación de Jerusalén.

Podemos sobrevivir el tiempo de prueba. Podemos atravesar cualquier tribulación porque Dios nos ha mostrado cómo prevalecer. Él nos ha mostrado que debemos sostenernos en base a principios. Él ha prometido escribir su ley en nuestro corazón y en nuestra mente. Él ha prometido darnos el valor para defender la verdad de su Palabra. Por eso podemos sostenernos contra el anticristo. Por eso podemos oponernos a todos sus engaños. Por eso podemos mantenernos firmes hasta el fin.

El anticristo se esforzará por engañarnos, pero no tenemos que ser engañados. No tenemos que integrarnos a su bando. Podemos hacer una elección mejor y fijar nuestros ojos en Jesús, el "autor y consumador" de nuestra fe. Podemos mantener a Jesús en el centro. Podemos unirnos a un contingente mejor, un contingente que defiende la gracia, la fe, la santa ley de Dios, la obediencia. Podemos tomar una postura mejor: una basada en principios y no en un lugar.

No ceda a las voces de la complacencia. No se limite a recorrer a tumbos el camino más fácil. Permita que el amor de Jesús lo impulse. Permita que él mueva sus pasos. Permita que su Espíritu haga que sus principios vivan dentro de usted. Siga su verdad a dondequiera lo guíe. Sígala aunque lo aparte de lo que le resulta familiar. Permita que los principios de Dios moldeen sus opiniones. Encuentre una comunidad donde pueda sumergirse en su Palabra. Únase a la carrera. Mantenga la fe. Gane el premio. Comprométase ahora mismo en el nombre de Jesús.

---

[1] Oficina del Secretario de Prensa de los Estados Unidos, "Declaraciones durante la firma de la Declaración de Principios Israelí-palestina, 13 de septiembre 1993", *Journal of Palestine Studies 23*, #2 (Invierno 1994): pp. 119-124, http://www.palestine-studies.org/files/pdf/jps/5330.pdf.

[2] *Ibíd.*

Capítulo 10

Seguridad eterna

Si usted pudiera tener su propio cielo en la tierra, ¿cómo sería? ¿Qué escenas vienen a su mente cuando imagina un lugar o un ambiente ideal? Todos nosotros albergamos algún sueño en lo profundo del alma, una expresión íntima de nuestros más caros anhelos.

El agricultor palestino de Gaza que intenta extraer algo de trigo de una tierra testaruda, tiene un sueño. Es un sueño que lo sostiene en medio de las dificultades y conflictos interminables. Él sueña un país palestino libre: una patria soberana donde pueda echar raíces y ver crecer a sus nietos, orgullosos de su identidad.

El empresario israelí que se traslada a Tel Aviv tiene un sueño. Es un sueño que lo motiva a mudar su hogar y su negocio en su mediana edad. Desea lanzar una compañía de computación. Sueña que le traerá éxito financiero y prosperidad. También sueña que Israel es una nación segura, con fronteras claramente establecidas. Sueña de una patria judía libre de terrorismo, donde puede ver crecer a sus nietos en paz.

Estos son los sueños que sostienen a muchas personas en el Oriente Medio, sueños que avivan sus esperanzas, sueños que les permiten perseverar en sus luchas. Pero que esos sueños se cumplan es otra cosa. El problema es que estos dos pueblos tienen sueños conflictivos en torno al mismo lugar. Esto se aplica particularmente a Jerusalén. Si se saca la ciudad, se acaban los sueños más fundamentales de tanto los israelíes como de los palestinos. Por eso hay tantos enfrentamientos, tantas confrontaciones. Nadie quiere abandonar sus sueños. Eso sería algo así como perder su identidad, abandonar su verdadera esencia.

Nuestros sueños, nuestras esperanzas para el futuro, a menudo determinan la naturaleza de nuestras luchas y la forma en que vivimos. No podemos suprimir estos anhelos. Es una evidencia de que somos seres humanos.

¿Significa que estamos condenados a la frustración? ¿Significa que todos los sueños son peligrosos; que no hay esperanza de resolver conflictos como el de Jerusalén? Hay un sueño mejor, una visión distinta del futuro. Es un sueño que nos permite vivir con mucha más esperanza y mucha menos frustración.

Analicemos este sueño maravilloso. Este es el sueño máximo. El sueño que es la semilla de muchos otros sueños. Este sueño nos viene de la Biblia.

En el capítulo previo, consideramos por qué la segunda venida de Jesús es en efecto el fin de la historia; por qué, según la Biblia, allí se decidirán los destinos humanos. En este capítulo nos vamos a enfocar en un periodo de mil años en Apocalipsis 20 conocido como el milenio. La palabra "milenio" no se encuentra en la Biblia. Proviene del latín: *mille,* que significa "mil", y *annum,* que significa "año". El regreso de Jesús concluye la era actual y comienza el milenio: mil años de paz bajo el gobierno de Jesús. Los cristianos de todo el mundo sueñan con ese momento y anticipan impacientemente el día cuando ese sueño se tornará en realidad. Es importante que entendamos la naturaleza de esta gran esperanza y en qué se basa.

Solo unos pocos pasajes de la Biblia mencionan el milenio. Desafortunadamente, la representación popular de lo que será está basada en una interpretación equivocada de la Biblia.

La ciudad de Jerusalén es un elemento central en esta posición errada sobre el milenio. Se dice que cuando Jesús regrese, establecerá un reino en la tierra, con sede en Jerusalén. Israel prosperará; se tornará en un lugar glorioso. Los creyentes gobernarán con Jesús y participarán en el juicio.

Se edificará un templo en Jerusalén y se sacrificarán animales para recordar lo que Jesús logró en la cruz. Los creyentes serán enviados a todas las naciones como misioneros y naciones enteras se convertirán.

Los que sostienen este concepto de lo que ocurrirá durante el milenio se basan en profecías del Antiguo Testamento sobre la nación de Israel y su futuro.

El comienzo del milenio

Veamos varias cosas que podemos decir a ciencia cierta sobre el milenio. Comencemos con dos detalles sobre el comienzo de este período de mil años.

Apocalipsis 19 presenta la segunda venida. El apóstol Juan escribe: "Entonces vi el cielo abierto; y he aquí un caballo blanco, y el que lo montaba se llamaba Fiel y Verdadero... Y los ejércitos celestiales, vestidos de lino finísimo, blanco y limpio, le seguían en caballos blancos" (Apocalipsis 19:11, 14).

Aquí Jesús viene a la tierra como el Rey de reyes. El cielo invade la historia humana. Y algo maravilloso ocurre: los creyentes fieles que murieron antes del regreso de Jesús son resucitados. Esta resurrección durante la segunda venida marca el comienzo del milenio. Juan el revelador escribió: "Bienaventurado y santo el que tiene parte en la primera resurrección; la segunda muerte no tiene potestad sobre éstos, sino que serán sacerdotes de Dios y de Cristo, y reinarán con él mil años" (Apocalipsis 20:6). Aquellos que son levantados en esta resurrección —la primera— vivirán y reinarán con él mil años, en otras palabras durante un milenio.

En 1 Tesalonicenses, Pablo ofrece un cuadro impresionante de la segunda venida de Jesús. Dice:

> Porque el Señor mismo con voz de mando, con voz de arcángel, y con trompeta de Dios, descenderá del cielo; y los muertos en Cristo resucitarán primero. Luego nosotros los que vivimos, los que hayamos quedado, seremos arrebatados juntamente con ellos en las nubes para recibir al Señor en el aire, y así estaremos siempre con el Señor (1 Tesalonicenses 4:16, 17).

Los justos vivos, junto con los justos que estaban muertos y han sido resucitados, ascienden en las nubes para encontrarse con el Señor en el aire, y de ahí en adelante estarán "siempre con el Señor". Así que durante el milenio no habrá justos en la tierra, ¡ni vivos ni muertos!

He aquí otro detalle interesante. Se presenta a los creyentes como estando dentro de la ciudad, la nueva Jerusalén: "La ciudad no tiene necesidad de sol ni de luna que brillen en ella; porque la gloria de Dios la ilumina, y el Cordero es su lumbrera. Y las naciones que hubieren sido salvas andarán a la luz de ella; y los reyes de la tierra traerán su gloria y honor a ella" (Apocalipsis 21:23, 24). El Cordero de Dios es la luz gloriosa que ilumina a la ciudad, y todos los salvados, los que siguen al Cordero, andarán en esa luz.

¿Qué acerca de los impíos? ¿Continuarán viviendo en la tierra cuando Jesús venga y se lleve a los justos a vivir con él?

El profeta Jeremías nos da una descripción detallada de las condiciones sobre la tierra después de la segunda venida:

> Miré a la tierra, y he aquí que estaba asolada y vacía; y a los cielos, y no había en ellos luz. Miré a los montes, y he aquí que temblaban, y todos los collados fueron destruidos. Miré, y no había hombre, y todas las aves del cielo se habían ido. Miré, y he aquí el campo fértil era un desierto, y todas sus ciudades eran asoladas delante de Jehová, delante del ardor de su ira (Jeremías 4:23-26).

Hay algunas expresiones sumamente importantes en este pasaje. Jeremías declaró que la tierra se encuentra "asolada y vacía". Moisés empleó la mismas palabras en Génesis 1:2 para describir la tierra antes de que Dios creara la tierra seca y las plantas y animales. Pero Jeremías ciertamente no se refería a la semana de la creación. Habla de la huida de las aves, y la transformación de tierra productiva en un desierto, y de ciudades destruidas. Estas cosas no existían cuando Dios comenzó a crear. Y la presencia y la ira del Señor son las causantes de todo esto. El evento que el profeta describe es el regreso de nuestro Señor.

Jeremías entonces añade que "no había hombre", y explica: "Y yacerán los muertos de Jehová en aquel día desde un extremo de la tierra hasta el otro; no se endecharán ni se recogerán ni serán enterrados" (Jeremías 25:33). El caso es que en la segunda venida de Jesús, él atraerá a sí aquellos que son justos gracias a él, en tanto que los impíos intentan ocultarse. Pero los pecadores no pueden existir en la presencia del Dios santo, y por lo tanto mueren.

He aquí los dos detalles sobre el comienzo del milenio que debemos tomar en cuenta: (1) los justos muertos, resucitados en la segunda venida, y los justos vivos, ascenderán de la tierra para estar con Jesús donde él está; y (2) los impíos serán destruidos por la luz de su venida.

Por lo tanto, no habrá personas vivas sobre la tierra durante el milenio. Todas se habrán ido, ya sea por haber muerto, o por estar viviendo con Cristo en el cielo. Satanás y sus ángeles estarán presos aquí, restringidos a este planeta desolado y atados en el sentido de no poder ejercer su influencia para tentar a nadie (Apocalipsis 20:1-3). Satanás ahora ve el resultado trágico de su rebelión contra Dios. Las palabras "la paga del pecado es muerte" (Romanos 6:23), encuentran eco en todo el universo. Dios es la Fuente de la vida, y cuando las personas deciden separarse de él, están eligiendo separarse de la vida. Están eligiendo morir. La muerte es el destino final de aquellos que rechazan a Dios.

El fin del milenio

Veamos ahora dos detalles sobre el final del milenio. Apocalipsis 20:6 habla de una "primera resurrección". Esto implica que también hay una segunda resurrección. ¿Quiénes se levantarán en esta resurrección y cuándo ocurrirá?

Jesús les habló a sus discípulos acerca de la segunda resurrección. Les dijo: "No os maravilléis de esto; porque vendrá hora cuando todos los que están en los sepulcros oirán su voz; y los que hicieron lo bueno, saldrán a resurrección de vida; mas los que hicieron lo malo, a resurrección de condenación" (S. Juan 5:28, 29). Obviamente, las personas que son revividas durante la "resurrección de condenación", no son los santos. No son creyentes. No son los salvos.

El autor de Apocalipsis también se refiere a dos resurrecciones. Después de escribir sobre la resurrección de los "bienaventurados y santos", se refiere a "los otros muertos", aquellos que rechazaron a Dios. Dice que "no volvieron a vivir hasta que..." (Apocalipsis 20:5). De manera que con el tiempo vuelven a vivir. Son levantados de muerte a vida, pero vuelven a vivir en la segunda resurrección, la "resurrección de condenación".

Apocalipsis 20:5 también responde a nuestra pregunta acerca de cuándo ocurre la segunda resurrección. Dice: "Pero los otros muertos no volvieron a vivir *hasta que se cumplieron mil años*" (la cursiva es nuestra). De manera que estos son los dos detalles sobre el fin del milenio que pueden protegernos de una interpretación errónea: (1) habrá una segunda resurrección en la que los impíos vuelven a vivir; y (2) la segunda resurrección ocurre al final del milenio.

Durante el milenio, los impíos están muertos. Sin vida. No están por ninguna parte. No resucitan sino hasta el fin de los mil años. Esto significa que durante el milenio no hay nadie sobre la tierra al que los creyentes puedan evangelizar. No habrá nadie dispuesto a escuchar las buenas nuevas. Entonces, ¿qué se gana con declarar que la Jerusalén terrenal es el centro del reino de Jesús y decir que la luz de Dios brilla desde esa ciudad hacia todas las naciones? ¿Qué propósito serviría cuando no existen seres humanos sobre la tierra?

En los versículos 2 y 3 de Apocalipsis 21, leemos lo que ocurre después del reino de paz de mil años de Jesús:

> Y yo Juan vi la santa ciudad, la nueva Jerusalén, descender del cielo, de Dios, dispuesta como una esposa ataviada para su marido. Y oí una gran voz del cielo que decía: He aquí el tabernáculo de Dios con los hombres, y él morará con ellos; y ellos serán su pueblo, y Dios mismo estará con ellos como su Dios.

Al comienzo del milenio, un Jesús glorioso desciende del cielo a la tierra. Al final del milenio, una ciudad gloriosa, la nueva Jerusalén, desciende del cielo a la tierra. Note que la "gran voz del cielo" dice que "el tabernáculo de Dios [está] con los hombres, y él morará con ellos". Si según la creencia popular Jesús ha pasado los mil años previos juzgando la tierra desde Jerusalén, ¿por qué Apocalipsis nos dice aquí que Dios ha venido a la tierra para morar con los seres humanos? Interesante, ¿no le parece?

Repasemos lo que hemos encontrado. Al comienzo del milenio, aquellos que rechazaron a Dios mueren, y los creyentes ascienden en las nubes para encontrarse con Jesús y estar "siempre" con él. Al final del milenio, la nueva Jerusalén desciende del cielo y los creyentes se encuentran dentro de la ciudad. ¿Cómo relacionamos todos estos detalles? Creo que nos llevan a la conclusión de que los creyentes han estado en el cielo durante el milenio. No reinan con Jesús sobre la tierra, sino en el cielo.

La segunda venida de Jesús concluye nuestra historia sobre la tierra cansada y comienza nuestra jornada en el cielo. Lo que el mismo Jesús prometió va al corazón del sueño del cristiano:

> En la casa de mi Padre muchas moradas hay; si así no fuera, yo os lo hubiera dicho; voy, pues, a preparar lugar para vosotros. Y si me fuere y os preparare lugar, vendré otra vez, y os tomaré a mí mismo, para que donde yo estoy, vosotros también estéis (S. Juan 14:2, 3).

¿A dónde fue Jesús después de su resurrección?
Al cielo.
¿Dónde está la casa de su Padre?
En el cielo.
¿Dónde es que Jesús está preparando un lugar para nosotros?
En el cielo.
¿A dónde nos quiere llevar para que estemos con él?
Al cielo.
De manera que los creyentes pasan el milenio en el cielo. El apóstol Juan no duda en decir dónde estaremos y lo que haremos durante ese tiempo. Dios le dio una visión del cielo, y él da testimonio de lo que vio:

Y vi tronos, y se sentaron sobre ellos los que recibieron facultad de juzgar... Bienaventurado y santo el que tiene parte en la primera resurrección; la segunda muerte no tiene potestad sobre éstos, sino que serán sacerdotes de Dios y de Cristo, y reinarán con él mil años (Apocalipsis 20:4, 6).

Reinaremos con Jesús en el cielo durante mil años. Allí actuaremos como jueces, habiendo recibido el privilegio de revisar los casos de los impíos.

Durante esos mil años, Dios concretará la certeza del universo al responder a todas nuestras preguntas sobre su justicia. Nos ayudará a entender mejor cuánto nos ama y las consecuencias horrendas del pecado. Experimentaremos el amor, la paz y el gozo que él nos ofrece como nunca antes. Y veremos con mayor claridad que él ha hecho todo lo posible por salvar a cada ser humano, y que los que se pierden sufren ese destino por causa de sus propias decisiones egoístas.

Al final del milenio, los creyentes regresan a la tierra en la nueva Jerusalén. Entonces los malvados experimentan la segunda resurrección: la resurrección de condenación. De pie ante al trono de Dios, tienen un vistazo panorámico de su vida. Advierten que Dios ha hecho todo lo posible por salvarlos, y que no pudo haber hecho más. Apocalipsis nos dice que Satanás "saldrá a engañar a las naciones... a fin de reunirlos para la batalla... Y subieron sobre la anchura de la tierra, y rodearon el campamento de los santos y la ciudad amada"(Apocalipsis 20:8, 9). Los impíos intentan atacar la Ciudad Santa y en ese momento Dios les lanza su castigo: "De Dios descendió fuego del cielo, y los consumió" (vers. 9).

Los impíos no se pierden porque no tuvieron la oportunidad de salvarse, sino porque rechazaron las oportunidades que Dios les otorgó amablemente. No se pierden porque Dios no los amó y no quería que se salvaran, sino porque despreciaron su amor y rechazaron su oferta.

En estos momentos, toda criatura del universo se postrará ante el trono de Dios, y toda lengua confesará que Jesús es el Señor (Filipenses 2:9-11; Apocalipsis 20:11-13). Entonces Dios creará un cielo nuevo y una tierra nueva, y la nueva Jerusalén, que es su hogar y ha llegado a ser el nuestro, se posará sobre este planeta renovado por la eternidad (2 Pedro 3:13; Apocalipsis 21:1).

Por qué es importante

¿Por qué es importante entender la verdad de la Biblia acerca del milenio? ¿Por qué debiera interesarnos? La verdad es que el reino de Jesús será algo positivo, y no importa dónde ocurra el milenio. Lo que lo hace positivo es que Jesús será quien gobernará, ya sea desde la tierra o el cielo. No obstante, un milenio en el cielo es una esperanza más atractiva, un sueño mejor para los que estamos aquí.

En primer lugar, una comprensión correcta —una comprensión bíblica— del milenio establece para siempre nuestra creencia en la equidad y la justicia de Dios. Durante esos mil años, veremos que Dios ha hecho todo lo que podía hacer para salvar a cada persona que ha vivido sobre el planeta Tierra. Cuando concluya finalmente el gran conflicto entre el bien y el mal, el universo estará seguro para siempre. El pecado nunca volverá a levantar su cabeza fea. El amor de Dios será grabado indeleblemente en el corazón y la mente de su pueblo.

En segundo lugar, los sueños humanos de un milenio terrenal son fácilmente explotados. Muchos líderes de sectas y fanáticos lo han hecho. Adolfo Hitler aprovechó estos sueños para establecer un *Tercer Reich* que duraría mil años. Apocalipsis nos dice que en el futuro, el anticristo explotará los mismos anhelos humanos. Apocalipsis 13 dice que hará grandes señales —en verdad, milagros—incluyendo la apariencia de hacer descender fuego del cielo. Ejerce una gran autoridad. Habla grandes blasfemias. Controla a cada tribu, lengua y pueblo. Parecerá que todo el mundo lo sigue. Incluso algunos lo adorarán y dirán: "¿Quién podrá enfrentársele?"

¿Qué le permite al anticristo influir de tal manera sobre las personas? ¿Por qué habrá de controlarlas tan completamente? ¿Por qué tantos sucumben a sus engaños?

La gente será engañada por él de la misma manera en que son engañadas por los líderes sectarios de hoy día. Estas figuras carismáticas prometen paz sobre la tierra. Prometen un paraíso aquí y ahora. Dicen que van a establecer un "reino" especial, y persuaden a sus seguidores a hacer guerra contra aquellos que se oponen a su utopía. El anticristo hará lo mismo.

En su carta a los colosenses, Pablo nos brinda un excelente consejo sobre cómo debemos soñar. "Si, pues, habéis resucitado con Cristo [de la muerte espiritual], buscad las cosas de arriba, donde está Cristo sentado a la diestra de Dios. Poned la mira en las cosas de arriba, no en las de la tierra" (Colosenses 3:1, 2). Si usted ha resucitado a una nueva vida con Jesús, manténgase mirando hacia arriba. Concentre su atención donde Jesús está. Fije su esperanza en el Jesús que gobierna a la diestra de Dios. Aquellos que construyeron la torre de Babel intentaban llegar al cielo por sus propios esfuerzos arduos. Nosotros no podemos hacer del milenio una bendición. Dios es quien coloca en el milenio los elementos que lo convierten en la bendición que él desea otorgarnos.

He aquí otra razón por la cual un milenio en el cielo es mejor que un milenio en la tierra: el cielo tiene lugar para todos. No sucede lo mismo con los lugares sagrados en la tierra, lugares como Jerusalén. Debido a la naturaleza humana, cada intento por establecer un reino celestial sobre la tierra genera pugnas. Ocurre una y otra vez. Los paraísos sobre la tierra no pueden satisfacer a todo el mundo.

¿Qué dijo Jesús sobre el lugar que está preparando para nosotros en el cielo? Dijo que en la casa de su Padre hay muchas mansiones. Hay lugar suficiente. Esa es la naturaleza del cielo. La bienvenida de Dios es amplia. Dios anima a tantas personas como quieran a venir a su gran mesa de la salvación.

He aquí un detalle interesante sobre la nueva Jerusalén: "La ciudad se halla establecida en cuadro, y su longitud es igual a su anchura; y él midió la ciudad con la caña, doce mil estadios; la longitud, la altura y la anchura de ella son iguales" (Apocalipsis 21:16).

Doce mil estadios equivalen a unas 1.500 millas. Si tomamos estas medidas literalmente, tenemos un cubo extraordinario de más de mil millas de longitud, anchura y profundidad. ¿A qué me refiero con esto?

La idea es que hay bastante lugar en la gloriosa ciudad de Dios, lugar suficiente para todos. El cielo no es un juego en el que algunos deben perder para que otros ganen. Refleja la longitud, la anchura y la profundidad del amor infinito de Jesús. Esto es mejor que cualquier esperanza terrenal. Es una esperanza que puede ensanchar nuestro corazón en vez de aumentar nuestros conflictos.

He aquí mi última razón por la que creo que pasar el milenio en el cielo constituye un mejor sueño: En el cielo, todos estamos al mismo nivel. Allí, todos somos inmigrantes.

En 1993, los diplomáticos de Israel y Palestina intentaban iniciar negociaciones entre ambos gobiernos en Oslo, Noruega. Abu Ala representaba la Organización de la Liberación de Palestina, y Uri Savir representaba a Israel.

En el diálogo inicial, ambos intentaron descubrir el temple del otro. El Sr. Ala se preguntaba por qué Israel se sentía amenazado por sus vecinos árabes cuando contaba con una maquinaria de guerra vastamente superior. El Sr. Savir señaló que el mundo árabe había estado comprometido con la destrucción de Israel durante largo tiempo. Entonces el árabe le preguntó a su contraparte: "¿De dónde es usted?"

—Jerusalén— respondió el israelí.

—Yo también —dijo el Sr. Ala. Entonces remontó su pregunta a la generación anterior. Preguntó—: ¿De dónde es su padre?

Mr. Savir admitió que su padre había nacido en Europa, lo que Abu Ala aprovechó para interrumpir: "El mío nació en Jerusalén y todavía vive allí".

Sin embargo, el Sr. Savir no se dio por vencido. Desafió al Sr. Ala con la pregunta: "¿Por qué no me pregunta sobre mis abuelos y antepasados? Podríamos llegar hasta el rey David".

El asunto clave que estos hombres discutían era en esencia quiénes tenían el mayor derecho a ocupar Jerusalén, cuál bandera debía ondear sobre aquellas antiguas piedras. Por eso argumentaban para determinar quién había llegado primero. Los palestinos podían reclamar que sus antepasados habían ocupado la tierra mucho antes de que la nación moderna de Israel naciera, a la vez que los israelíes podían afirmar que los judíos tenían derecho a Jerusalén desde mucho antes, en los días del rey David.

¿Quién llegó primero? ¿Quién había poseído primero la sagrada ciudad? Estos son los asuntos que se discuten infinitamente cuando se trata de determinar quiénes tienen derecho a un cielo sobre la tierra.

Un reino nuevo y diferente

El milenio bíblico en el cielo es algo totalmente diferente. Se fundamenta en principios diferentes. Todos los seres humanos están al mismo nivel. Todos tenemos derecho a él porque a través de Jesucristo todos somos miembros de la familia real del cielo. Nadie puede aducir que merece un lugar en el paraíso más que cualquier otra persona.

¿Sabe usted qué se encuentra grabado en los cimientos de la nueva Jerusalén? Apocalipsis 21:14 nos dice que llevan los nombres de los doce apóstoles. Esto se me hace muy interesante. Allí se encuentra el nombre de Juan: el hijo del trueno, el hombre de mal genio. Y allí está el nombre de Pedro, uno que habitualmente cometía errores al hablar. Y también está el nombre de Tomás, alguien a quien se le hizo bastante difícil creer en las promesas y las profecías de Jesús.

Curiosamente, las piedras a la base de la nueva Jerusalén llevan los nombres de seres humanos llenos de debilidades. ¿Qué nos dice esto?

Nos dice que por la fe en Jesús todos podemos vencer nuestras debilidades y ser bienvenidos a esa ciudad gloriosa. Todos podemos encontrar un hogar allí. Dios nos ofrece esta certeza a cada uno de nosotros.

Pero ahí no termina. En los tiempos antiguos, la mayoría de las ciudades tenían una sola puerta de entrada. Esto facilitaba el rechazo de los indeseables. Pero los cuatro muros de la nueva Jerusalén, hacia el norte, el sur, el este y el oeste, tienen cada uno tres puertas. El número tres a menudo se lo utiliza como una alusión a la Trinidad. ¿Qué nos dice Dios? Nos dice: A todos los que están al norte, el Padre, el Hijo y el Espíritu Santo dicen: "Pueden entrar". A todos los que vienen del sur, el Padre, el Hijo y el Espíritu Santo dicen: "Pueden entrar". A todos los que vienen del este, el Padre, el Hijo y el Espíritu Santo dicen: "Pueden entrar". A todos los que vienen del oeste, el Padre, el Hijo y el Espíritu Santo dicen: "Pueden entrar".

Sí, hay suficiente lugar para todos en la nueva Jerusalén. Todos podemos entrar a la ciudad por la gracia de Dios. Todos entramos por esas puertas a la ciudad gloriosa únicamente gracias a la misericordia del Padre. Somos aceptados allí porque allí se acepta la justicia del Hijo amado. Esa es la única razón por la que nos permite entrar. No se aceptan otros argumentos. Otras credenciales no cuentan.

¿En qué se funda su esperanza? ¿A qué se aferran sus más íntimos anhelos? ¿No será que ya es hora de concentrarnos en las recompensas inamovibles del cielo? ¿No será hora de comenzar a enfocarnos en el Jesús resucitado que está preparando un lugar para nosotros?

Necesitamos albergar un sueño más ambicioso. Nos urge soñar cosas mejores. Necesitamos una visión más amplia. Necesitamos vivir nuestra vida en la longitud y la anchura y la profundidad del amor de Jesús. Necesitamos anticipar su milenio de paz. Y necesitamos que comience en nuestro corazón hoy mismo.

Usted puede apropiarse del gran sueño de Dios. Al llegar al fin de nuestra jornada a través de las páginas de este libro, ¿se anima a hacer una entrega de su vida a Jesucristo? ¿Le gustaría responder a la atracción sin par de su amor y los reclamos de su gracia? ¿Se animará a abandonar todo aquello que le impida alistarse para su regreso?

Si usted desea entregar o reconsagrar su vida a Jesús, lo invito a unirse a mí por medio de esta sencilla oración:

Querido Señor,

Gracias, querido Señor, por no habernos dejado solos en este planeta. Líbrame de enredarme tanto en las cosas de este mundo que olvide el verdadero propósito de la vida. Llena mi corazón ahora y para siempre con la esperanza de tu regreso. Amén.

---

* Uri Savir, *The Process: 1,100 Days That Changed the Middle East* (Nueva York: Vintage, 1998), pp. 14, 15.